DES MÊMES AUTEURS, AUX ÉDITIONS LEDUC.S

Mes petites recettes magiques acido-basiques, 2014.
La détox, c'est malin, 2014.
Entraîner sa mémoire, c'est malin, 2014.
Le grand livre de l'équilibre acido-basique, 2011.
Mes petites recettes magiques détox, 2011.

RETROUVEZ ANNE DUFOUR SUR LE BLOG :
Biendansmacuisine.com

Maquette : Sébastienne Ocampo
Illustrations : Fotolia

17, rue du Regard
75006 Paris – France
ISBN : 979-10-285-0120-4
ISSN : 2425-4355

C'EST MALIN
POCHE

ANNE DUFOUR ET CATHERINE DUPIN

OPÉRATION ANTISTRESS

Téléchargez nos coloriages antistress (voir p. 192).

SOMMAIRE

INTRODUCTION

Stressé, fatigué ? Pas de chance. Vous vous trouvez au mauvais endroit, au mauvais moment. La société actuelle ne supporte pas les gens fatigués, impitoyablement taxés de « fainéants ». Alors vous essayez de vous « soigner » afin de ressembler aux créatures enthousiastes et pleines de vitalité qui peuplent les films publicitaires, mais là encore, malchance : la médecine n'a rien à vous proposer ou presque. Ou des choses approximatives : des médicaments pour dormir, des médicaments pour être « dans le coton », des médicaments pour réduire votre tonus musculaire... Au total, vous n'êtes pas moins stressé, mais vous avez encore moins d'énergie pour faire face et remonter la pente, finalement. Comme enfin les traitements que l'on vous prescrit ne solutionnent pas votre problème, vous énervez les médecins qui se sentent impuissants. Mettez-vous à leur place : des gens comme vous, ils en voient toute la journée, car plus d'une consultation sur deux est motivée par la fatigue. Et puisque les examens traditionnels pour déceler un trouble physique se révèlent normaux dans l'immense majorité des cas, on vous conseille gentiment de rentrer chez vous et d'y mettre un peu du vôtre. C'est ce que vous allez faire grâce à ce livre. Car si c'est votre vie qui est stressante, pour une raison ou une autre, ce ne sont pas des médicaments qui vont vous aider : c'est de travailler sur l'origine de votre stress, vous efforcer d'améliorer d'une manière ou d'une autre la ou les parties de votre vie impliquées dans votre mal-être. Il n'y a aucune autre solution !

Nous allons voir ensemble tout ce qui peut vous « stresser ». Souvent, plein de petites choses, parfois dès le saut du lit au petit matin (et même avant !), de micro « mauvais choix » qui, petit à petit, au fil des heures, grignotent votre énergie, votre optimisme, votre joie de vivre. Soyez plus malin qu'eux !

Chapitre 1
1 001 stress

D'abord, le stress, c'est quoi ? Un mot valise (mot « fourre-tout ») qui signifie une foule de choses bien distinctes d'un stressé à l'autre. Pour vous, ce sera le stress des horaires (déposer le petit à la crèche, attraper le train de 8 h 09 pour choper le RER de 8 h 18 sinon vous ratez le bus de 8 h 42), pour un autre, celui de n'en avoir pas pour cause de chômage ou de retraite mal vécue, pour un autre encore c'est le stress classique de l'employé en mode survie dans le monde hostile de l'entreprise, tandis que pour son patron, le stress sera celui lié aux fournisseurs, à la capacité ou non de pouvoir payer ses employés à la fin du mois, etc. Et puis, bien sûr, il y a le stress amical, amoureux, conjugal, entre parents et enfants, entre frères et sœurs, à cause de son corps trop gros, trop petit, trop maigre, malade, douloureux, à cause de son addiction à l'alcool, au tabac, aux réseaux sociaux, aux témoignages de reconnaissance, au manque de contact avec la nature, au manque de calme, ou encore au contraire à la solitude, bref : la liste est interminable. À chacun son stress.

UN PEU DE PHILOSOPHIE HISTORIQUE...

Cette multitude d'éléments stressants ont beau être pourtant les mêmes pour la majorité d'entre nous, certains y résistent très bien (et ne les considèrent d'ailleurs pas comme des « stress »), alors qu'ils en plongent d'autres dans les affres de la rumination, de l'insomnie, de l'irritabilité, de l'agressivité... Aussi, pour paraphraser le célèbre Pasteur*, le stresseur n'est rien, le terrain est tout. Il suffit parfois de voir les choses autrement pour qu'elles soient effectivement autrement. Les cargaisons de mails vous mangent tout cru ? Mais est-ce vraiment la faute de vos mails, ou de la vôtre, qui vous laissez envahir par eux ? Cantonnez-les à un espace-temps délimité en dehors duquel

* « Le microbe n'est rien, le terrain est tout. »

vous vous en déconnectez. Vous n'avez le temps de rien, vous courez sans cesse ? D'accord, mais est-ce vraiment indispensable de faire **tout** ce que vous faites ? Et si vous remplaciez le passage de l'aspirateur du samedi matin, pour une fois, par une simple balade au soleil ? Reculez d'un pas face à vos stress, soyez philosophe (façon de parler), et c'est vous qui ne ferez finalement qu'une bouchée de ces maudits petits stress qui vous pourrissent la vie.

Dans une surprenante étude que le philosophe Jean-Louis Chrétien consacre à la fatigue physique et nerveuse* une série de textes nous plonge au cœur de la lassitude de l'Antiquité à nos jours. Qu'en ressort-il ? Qu'au commencement était la fatigue, et que les pauvres humains que nous sommes étaient épuisés bien avant de naître. Alors qu'on n'aille pas nous raconter que cette caractéristique est endémique à notre génération stressée... En effet, elle accompagne chacun des gestes de nos ancêtres, appelle les plus grandes questions et évoque des problèmes fondamentaux tels que ceux de la mort ou de la temporalité. L'auteur distingue en effet trois « lassitudes » qui ont chacune marqué leurs siècles : la grecque, la biblique et la nihiliste.

* *De la fatigue,* Les éditions de Minuit, 1996.

- *La première,* liée au mythe de l'infatigabilité, se veut la preuve que l'Homme n'atteindra jamais le tonus suprême des dieux : nous sommes voués à la fatigue car notre corps s'use. Les Grecs fantasmèrent alors sur une force physique inépuisable, qui associerait la beauté et la puissance. Mais pas seulement ! Même si les dieux dorment et se reposent, ils jouissent par principe d'une inusable énergie, tandis que réfléchir nous coûte. C'est stressant, je sais, mais personne d'entre nous n'est un dieu grec (à ma connaissance), et donc cela relativise notre impuissance à pouvoir faire face à chaque instant, à chaque stress, à chaque agression de la vie, avec un sourire éclatant et de larges épaules. Oui, parfois on a juste envie de se rouler en boule sous un plaid avec une play-list tranquille et un manga débile.
- *La deuxième* suit la Bible, où il est question que Dieu se repose le septième jour. Non parce qu'il est fatigué, mais pour s'humaniser, se rapprocher de ses propres créatures imparfaites. Son fils Jésus doit même souffrir de lassitude, d'épuisement de découragement... « pour voir ». Alors pas la peine non plus d'aller se faire crucifier, on peut expérimenter le stress – généralement plus

soft il faut le reconnaître – de mille autres façons. Ce qui est sûr, c'est que, oui, nous sommes imparfaits, et que le seul fait de l'accepter nous allège d'un poids énorme : celui d'essayer malgré tout d'être parfait. Une mère parfaite, une femme parfaite, un enfant idéal, un élève 1er de la classe, un père modèle, un amant toujours au top. En fait, la bonne nouvelle c'est que ça n'existe pas, et que donc vous n'avez pas besoin d'essayer de vous en approcher !

- *La dernière,* nihiliste, est celle que nous subissons toujours aujourd'hui. Elle intervient après la mort de Dieu et se veut hantée de cette absence de divin. La fatigue nihiliste est d'autant plus bavarde qu'elle proclame n'avoir rien à dire : elle signifie seulement que l'Homme ne sait plus quel sens donner au monde. Et souvent, bien souvent même, le stress naît de là : le manque de sens. Manque de sens à se lever chaque matin, endurer les incivilités dans les transports en commun (et les trains supprimés sans aucune raison connue), les agressions des collègues, un travail répétitif et perçu sans valeur, ou encore un travail ultra-prenant mais jamais considéré à sa juste valeur – cas typique des infirmières – une ambiance hostile à la maison...

Bon, les Grecs, Dieu et le monde, d'accord, mais... et nous dans tout ça ?

LE STRESS SE MET DANS TOUS SES ÉTATS

Le stress du soir

Il découle d'une journée remplie de petits ou gros agresseurs. Rien à faire d'autre que de se plonger dans un bon bain, lire, se détendre, aller marcher un peu pour que le corps se libère de ce trop-plein d'énergie ou d'agressivité, puis aller dormir, tout ira (peut-être) mieux demain. Ce n'est évidemment pas une maladie !

Le stress de « ne rien faire »

Ce sont les nerfs qui trinquent, et souvent le problème est en rapport avec un changement de rythme. Une sorte de « décalage horaire » personnel. Ce genre de stress cède dès lors qu'on s'active, notamment en faisant du sport.

Le stress du matin

Notre corps ne fonctionne pas sous les ordres d'un interrupteur « marche/arrêt », il lui faut un temps d'adaptation entre le lit douillet et le monde extérieur. Si vous lui faites subir un démarrage hystérique, en sautant le petit-déjeuner, en vous ruant sous la douche et en partant en courant, ne vous étonnez pas de vous retrouver sur les dents.

Le stress dû à un mauvais sommeil

Pas besoin d'explications : il est facile de comprendre que si l'on dort mal, ou pas assez, ou trop (mais oui !), on stresse.

L'un dans l'autre

Toute fatigue physique retentit sur le psychisme, et inversement. Ces combinaisons portent le joli nom de psychasténie.
Une hygiène de vie saine vient à bout d'un stress nerveux sur deux.

Le stress-déprime

On peut s'enliser dans le stress par manque de motivation. Le « je-n'ai-envie-de-rien, l'impression de naviguer à vue dans un tunnel sans fin » signe une composante psychologique, et les alertes doivent être prises au sérieux, surtout si elles ne sont pas provoquées par un problème précis. Peut-être ne vous ménagez-vous pas suffisamment de plages de repos, de sport ou de loisirs divers ? Ou à l'inverse, dormez-vous trop ?

Le stress-surmenage

Il s'agit là du surmenage au sens large : trop de boulot ou de soucis, mais aussi surmenage digestif (repas trop riches), sommeil insuffisant, etc. Pensez qu'avec l'âge, le corps se fatigue plus vite, et ce qui était simplement un peu « trop » avant entre dans la catégorie « surmenage » à partir d'un certain moment.

Le stress-carence

Coups de pompe à heures régulières, moindre résistance à l'effort, vertiges... le stress touche surtout les femmes, particulièrement celles abonnées aux régimes. Une refonte de l'alimentation s'impose, ainsi que, parfois, une cure de vitamines et de minéraux.

Le stress intellectuel

Il fait souvent suite à un long travail mental, type préparation d'examen, et se traduit par une baisse du rendement intellectuel, des troubles de la concentration ou de la mémoire. Clouez une pancarte « *Do not disturb* » sur votre porte mentale, et faites un vrai break prolongé, c'est votre seul salut. Des vacances peut-être ? Pour la prochaine épreuve, apprenez par cœur les conseils dans les pages qui suivent, vous verrez la différence !

Le stress sensoriel

Il touche le dispositif qui nous relie avec le monde extérieur et ne peut être éradiqué qu'avec le repos des sens : changement radical d'environnement visuel, sonore, tactile, etc. Songez que les organes des sens sont sollicités en permanence par des messages de l'environnement, et que les centres nerveux sont donc toujours en fonctionnement. La quantité de ces signaux est normalement assez faible, mais pas toujours ! Si le stress lié au toucher, au goût ou à l'odorat n'est pas forcément perceptible, bien qu'il soit réel, celui qui accompagne l'audition ou la vision est parfaitement quantifiable. En effet, dans ce cas, il y a un « recrutement progressif » d'un nombre de fibres ou de cellules d'autant plus important que l'intensité du signal est élevée. Nous connaissons tous des exemples de quidams tranquilles rendus « fous » par le bruit des voisins, mais c'est surtout la fatigue visuelle qui entame notre capital « énergie ». Le stress oculaire lié aux divers écrans (ordinateur, télévision...) n'est plus contesté, mais on connaît moins la fatigue visuelle « normale ». Une grande part de l'information sur le monde extérieur passe par nos yeux, qui finissent par « saturer » : seul un paysage simple et sans histoire peut alors les reposer, d'où l'effet apaisant que produit la traversée en voiture de mornes plaines ou de blancs paysages montagnards.

Le stress sexuel

La sexualité est fragile et fortement influencée par notre vie quotidienne. Ainsi, des crises répétées au boulot peuvent rendre « impuissant », tandis que le stress en excès peut conduire à la « frigidité », à la diminution ou à la perte du désir sexuel. Ce passage à vide est temporaire, fort heureusement ! La fatigue sexuelle n'est qu'un symptôme : il faut rechercher la cause véritable.

Le stress écologique

C'est bien connu, l'enfer c'est les autres. Le stress écologique résulte de l'interférence entre ses propres rythmes (biologiques, sociaux...) et ceux des autres. Ce type de stress entraîne une hypersensibilité à la fatigue musculaire et nerveuse, ainsi qu'une propension à éviter la vie en société. On peut y inclure les sensations de fatigue au niveau d'un groupe ou de situations d'effort collectif se pérennisant (randonneurs sur le GR 20 ne supportant plus ses compagnons de marche), ou encore lors de perte collective de motivation (grèves).

Les troubles de l'humeur

Il faut plaindre les personnes dont l'humeur en dents de scie fatigue tout le monde, et elles en tout premier. Vivre sur les nerfs (entendez « énervé ») est extrêmement fatigant pour l'esprit mais aussi pour le corps, qui subit de mini-crispations permanentes. Irritabilité, hyper-émotivité, difficultés relationnelles, intolérance au bruit, anxiété, tristesse, pessimisme et démotivation sont des causes majeures de stress et de fatigue. Le corps somatise parfois, ce qui conduit à des douleurs, des démangeaisons, des crises de spasmophilie. Entre dans cette catégorie le stress **émotionnel**, suite à un choc affectif ou à une situation stressante qui dure, évidemment peu sensible aux traitements classiques.

Le stress 2.0

Nos ordinateur, smartphone et autres objets connectés ne nous laissent pas une seconde de répit... selon les réglages des paramètres que l'on a soi-même indiqués. On est bippés à tout bout de champ : pour les rendez-vous (calendrier), les périodes trop longues pendant lesquelles nous sommes assis (traqueur d'activité), mails, sms, mms, notifications Facebook, Instagram... Êtes-vous vraiment obligé de subir tout cela ? Par exemple la fonction « push » pour les mails (= recevoir ses mails immédiatement, dès qu'ils arrivent) est-elle réellement indispensable ? Pourquoi ne pas cocher plutôt « Relève manuelle » ou « Relève toutes les heures » ? Est-ce absolument nécessaire de lire ses sms la nuit ? Ou même de programmer son réveil à 4 heures du matin pour aller vérifier les « likes » sur son statut Facebook (ou autre réseau social) ? Cela vous paraît complètement dingue ? Peut-être, mais pourtant les études indiquent que bien des personnes s'enchaînent tels des esclaves à leur portable, et qu'un ado sur quatre, par exemple, se soumet à cette histoire de réveil nocturne pour comptabiliser ses « likes ».

Vos 13 ennemis jurés

Les principaux facteurs responsables de stress :

› usage excessif des médias (télévision…) ;

› connexion 24/24 : vous êtes joignable à TOUT moment, par TOUS les canaux – mail, sms, tchat…

› manque de « nature » et d'activités simples, comme de marcher pieds nus dans le sable (sans partager cet instant sur Instagram ou sur Facebook !) ;

› manque de moments de solitude, de calme, d'intériorisation ;

› consommation excessive d'alcool et de tabac ;

› alimentation déséquilibrée ;

› manque d'exercice physique ;

› sommeil perturbé ou insuffisant ;

› régimes draconiens ;

› incapacité à relativiser (« la tête dans le guidon 24/24, 7/7 ») ;

› surmenage ;

› intolérance ou sensibilité alimentaire, surtout si non diagnostiquée (gluten, lactose, Fodmaps…), responsable de ballonnements et de troubles digestifs capables de pourrir le quotidien ;

› et bien sûr chocs affectifs (deuil, divorce…).

NOS STRESS NOUS MANGENT TOUT CRU

Il paraît que si l'Homme a survécu à la grande époque des cavernes, c'est grâce au stress. Voilà qui nous remonte le moral, alors qu'on attend un métro qui n'arrive pas, qu'on sait qu'il va être archi-bondé et qu'on est au bord de la crise de nerfs parce qu'on a rendez-vous dans 4 minutes à l'autre bout de la ville. Le stress, donc, serait bénéfique. D'accord, mais seulement s'il y a une parade. Si nos ancêtres ont pu échapper aux attaques des bêtes sauvages, c'est en effet grâce au stress qui, par divers mécanismes, préparait le corps à la confrontation ou à la fuite. Aujourd'hui, point de bataille rangée contre lynx et autres lions. Nos stress se nomment « responsabilité », « rentabilité », « patrons », « problèmes de couples », « mauvaises notes à l'école », etc. Et à moins d'apprendre à les tenir à distance, ils nous mangent tout cru, en grignotant chaque jour un peu de nos réserves d'énergie. C'est la phase dite de résistance. Résultat des courses : on vit « sur les nerfs » jusqu'à ce qu'eux aussi déclarent forfait, et un jour ou l'autre, on craque.

BONS STRESS, MAUVAIS STRESS

On peut classer le stress en deux grandes catégories : il y a le bon, et le mauvais. Le premier commence à un moment précis et, surtout, il s'arrête. C'est le cas du passage d'un examen par exemple. Le mauvais stress semble n'avoir aucun début et, pire, aucune fin. C'est le cas d'une situation angoissante qui dure.

Nous ne parlons pas là de stress intenses, encore appelés « stress aigus » comme de subir un licenciement ou d'engager une procédure de divorce : ces chocs ne sont heureusement pas quotidiens. Nous évoquons les petits « stress de chaque jour », sans importance, mais qui mis bout à bout font germer des envies de meurtre. C'est la ligne de son correspondant occupée en permanence, le plat du jour froid au resto, la caissière qui ferme devant nous, alors qu'on fait la queue depuis 10 minutes, les embouteillages le matin, le bus qui fait gicler une flaque d'eau sale sur notre nouvelle jupe claire...

Pour ne pas se laisser miner par ces petits riens, et surtout garder des forces pour les grosses galères, il faut les empêcher de trop nous approcher d'une part et évacuer chaque jour les petites tensions accumulées d'autre part.

Mode d'emploi au moment M – contre les petits et les gros stress

La parade suivante permet d'éviter de prendre des stress de plein fouet. Décortiqués, ils nous parviennent affaiblis et « sur le côté ». C'est moins pire...

1. **Identifiez précisément votre vague sentiment de stress** afin de nommer l'ennemi. Est-ce de la rancœur, de la jalousie, de la peur ? La compréhension de ses propres émotions est le premier pas vers l'apaisement.
2. **Respirez profondément.** C'est tout bête, mais tellement efficace. En respirant à fond (poumons + abdomen) et en relâchant totalement l'air, on fait croire au cerveau qu'on est maître de la situation. Pas méfiant pour deux sous, il se laisse prendre au piège et envoie des signaux aux quatre coins du corps pour annoncer la bonne nouvelle : pas besoin d'être sur le qui-vive, tout va bien. Et le corps se détend. Incroyable, mais vrai.

→

3. Faites une pause. Buvez calmement un grand verre d'eau, marchez un peu… le but est de prendre un peu de recul, même un tout petit peu. Ce minuscule interstice vous distingue du problème et l'empêche de vous coller à la peau.

UN MONDE PARFAIT

Nous rêvons d'un monde parfait, c'est-à-dire sans stress. Erreur : en dehors de son caractère utopique, ce ne serait sans doute pas le meilleur des mondes. En effet, une étude menée aux États-Unis montre que chacun possède une zone de stress optimale en deçà (et au-dessus) de laquelle toutes nos performances – intellectuelles ou physiques – chutent de façon sensible. Certes, un excès de stress nuit à nos capacités, mais les personnes avec « 2 de tension » ne sont pas mieux loties : des ondes cérébrales alpha (signe de relaxation) en excès empêchent de faire « monter la pression » au moment opportun. Contrairement aux idées reçues, il paraît qu'une bonne partie de la population n'est pas assez stressée ! Le responsable de l'étude précise que pour déterminer notre niveau optimal de stress, il faut se remémorer l'état de vigilance qui nous accompagne lorsque nous avons particulièrement bien réussi un travail. On l'appelle aussi « le flow ». Il paraît que notre rythme respiratoire et notre pouls étaient tout simplement géniaux. On veut bien le croire sur parole, parce que pour vérifier...

À CHAQUE ÂGE SON STRESS

- Tout le monde l'a remarqué : *les bébés* pleurent, mangent et dorment. Dorment, dorment et dorment jusqu'à 18 heures par jour. Vous ne vous en souvenez pas, mais vous avez fait pareil : c'est pendant le sommeil que les connexions nerveuses se mettent en place, que le corps se développe, que les informations s'enregistrent... Le repos est vital et un bébé qui grogne est souvent simplement fatigué : inutile de lui donner systématiquement à manger comme le font trop souvent les mères. Il veut du calme, parce que, en plus, le bruit et l'agitation l'agressent énormément. L'empêcher de dormir la journée pour qu'il « fasse mieux ses nuits » est un mauvais calcul : vous allez le rendre insomniaque. Et chroniquement stressé.

- *Les enfants* sont théoriquement en grande forme (et fatiguent les parents), mais leur rythme quotidien effréné vient à bout de leur pêche naturelle. Les journées scolaires sont longues et pas toutes adaptées à leurs cycles biologiques, le cartable pèse parfois des tonnes, les activités extrascolaires remplissent leur agenda de ministre : atelier poterie, judo, cours de piano, rattrapage de maths, catéchisme... Ah, tiens, il n'y a plus de place pour jouer et rêver ? En revanche, il y a de la place pour stresser, ça oui. Bonjour les maux de ventre, les migraines et autres crises d'asthme ou d'eczéma liés à un mal-être inexprimable, alors que « tu-as-tout-pour-être-heureux-mon-chéri ».
- *Les ados* sont stressés parce qu'ils deviennent des adultes, et que c'est franchement difficile (et pas toujours folichon, il faut bien l'avouer). D'autant que cela se construit à coup de nuits blanches et autres sorties entre copains, ponctuées de fêtes diverses et de rencontres amoureuses « pour la vie ». Sans parler de l'alimentation qui ne ressemble souvent à rien. Mais pas seulement ! Les transformations physiques se traduisent par des grands enfants « tout en jambes et en boutons » qui gèrent comme ils le peuvent

cette drôle d'impression de « craquer de partout ». Grandir, c'est stressant physiquement et psychiquement.

- *Les adultes* entretiennent soigneusement leur stress, et certains le subissent à longueur de temps. Sont-ils vraiment plus sensés que les ados, qu'ils critiquent à propos des fast-foods, des jeux sur Internet, de l'emploi du temps farfelu ? Régimes absurdes et harassants pour les uns, idées fixes professionnelles pour les autres, zapping télé tard dans la soirée pour « se vider la tête » de la journée... et rebelote le lendemain. Les adultes sont-ils toujours les individus raisonnables qu'ils veulent faire croire ?
- *Les seniors* stressent à cause de l'usure de la « machine », souvent sur la brèche, guettant l'articulation qui va faire mal au réveil ou l'alerte « santé » (diabète, cholestérol...) qu'ils craignent tapie, attendant son heure pour frapper. Ce qui n'est pas forcément totalement faux... Certains d'entre eux continuent à en faire « trop » (trop d'activités à la mairie, trop de voyages, de bricolage, etc.), d'autres, au contraire, arrêtent tout, ce qui les plonge dans le stress du vide, l'apathie et la fatigue. L'activité raisonnée est la seule solution pour

lutter contre cette sorte de « pétrification très déboussolante » rapportée par certains d'entre eux.

QU'EST-CE QU'ON MANGE CHÉRIE ?

Le cas des *femmes* est à part. Malgré les progrès indéniables qui ont été accomplis ces dernières années, les faits sont là : la majorité des femmes ont une triple vie. Professionnelle, personnelle et... hormonale. Loin de nous le désir d'entamer des polémiques et des débats sexistes, mais il s'agit d'une réalité.

C'est les hormones…

Les femmes subissent plus leurs hormones qu'elles ne les maîtrisent. Les règles (et la période qui les précède) sont fatigantes, la grossesse aussi, la ménopause peut être épuisante, bref, les grandes étapes de la vie d'une femme ne sont pas de tout repos. Pour certaines chanceuses, tout se passe plutôt comme sur des roulettes. Enfin, chanceuses… lorsqu'on y regarde de plus près, ce sont souvent celles qui prennent soin d'elles, se nourrissent correctement, pratiquent un sport. À l'opposé, certaines femmes oscillent d'un stress à un autre sans imaginer une seconde que ce n'est pas normal.

DEBOUT LES MORTS !

Les moyens décrits dans ce livre pour retrouver naturellement la sérénité sont à la portée de chacun d'entre nous. N'essayez pas de tous les appliquer le même jour : cela ne marchera jamais, et vous laisserez tomber après-demain. On estime que pour modifier une (mauvaise) habitude, le corps a besoin de douceur et d'un peu de temps. En effet il doit d'abord désapprendre l'ancienne, puis la remplacer par la nouvelle tout en intégrant le bien-fondé de ce changement ; mettez-vous à sa place, ce n'est pas si simple. Imaginons que pour chaque conseil proposé dans ce livre, vous vous accordiez une semaine. Très rapidement, vous constaterez une amélioration de vos capacités, mais aussi de votre humeur et même de votre bien-être en général. Au bout du programme, vous serez comme neuf. Quels que soient votre âge, votre état de départ, vos performances, vous pouvez toujours vous sentir encore mieux.

Dans l'immense majorité des cas, votre bien-être est entre vos mains... et dans votre assiette ! À condition de ne pas seulement lire ce livre, mais d'appliquer les conseils qu'il propose...

Chapitre 2

L'assiette antistress

L'énergie, c'est le nerf de la guerre. Le premier réflexe : améliorer ses apports énergétiques, notamment en protéines. Cela ne signifie ni manger moins, ni manger plus, mais manger mieux ! Les bases suivantes sont incontournables :

- *Petit-déjeuner/déjeuner.* Insistez sur les **protéines** : œuf, bacon, poisson fumé (à la nordique), jambon, fromage... c'est bien !
- *Dîner.* Privilégiez les aliments à **IG (index glycémique)** bas le soir. Légumes, légumineuses, fruits secs, graines, pain... c'est bien !

Les protéines sont dynamisantes tandis que les sucres à IG bas constituent plutôt une réserve d'énergie, parfaite pour la nuit.

- *À chaque repas principal, le maximum de légumes verts* (hors petit-déj, sauf si vous aimez les green smoothies) ET un peu de « graisses » est indispensable : plutôt de type « beurre » le matin, et « huiles d'olive/de colza/de noix » au déjeuner et au dîner.

LES ALIMENTS LES PLUS RICHES EN PROTÉINES
(en grammes pour 100 grammes)

PROTÉINES ANIMALES	
Viande, charcuterie, volaille, foie, gibier	18 à 20
Poisson, coquillages, crustacés	18 à 20
Fromages fermentés	18 à 24
Œuf	12 à 14
PROTÉINES VÉGÉTALES	
Graines de soja	38
Lentilles, haricots, pois chiches, pois cassés, fèves (crus)	25
Fruits oléagineux : cacahuètes, amandes	18 à 24
Pâtes (crues)	13
Céréales	8 à 12
Pain	7
Maïs en grain	9

- *Le poisson contient autant de* **protéines** *que la viande,* mais moins de graisses saturées (cela dépend cependant des poissons et des viandes). C'est plutôt mieux ! 3 poissons par semaine, 2 viandes blanches et 1 viande rouge semblent un bon rythme, même si c'est à voir au cas par cas.
- *On peut aussi être végétarien et en parfaite santé.* Cependant les protéines animales sont complètes et bien assimilées. Tandis que pour absorber correctement les protéines végétales, il faut associer les céréales aux légumineuses : un petit apprentissage est nécessaire. Les protéines animales valorisent leurs cousines végétales. C'est pourquoi les plats traditionnels comme le gigot aux haricots blancs, le petit salé aux lentilles ou le riz au lait sont des exemples d'associations réussies.
- *Ne jamais faire l'impasse sur les* **acides gras oméga 3**. Puissamment antistress et antidépression, ils luttent contre les micro-inflammations, impliquées non seulement dans les accidents cardiaques mais aussi dans la dépression.

MEILLEURES SOURCES D'ACIDES GRAS OMÉGA 3

(en grammes pour 100 grammes crus)

Source animale	
Anguille	19,6
Hareng	14,9
Saumon frais	13,6
Thon	13
Maquereau	11
Saumon fumé, anchois	9
Rouget	7,80
Mulet	6,70
Sardine	5,10
Source végétale	
Huile de lin	57
Huile de colza	10
Huile de soja	7
Huile de noix	5
Huile d'olive (extra-vierge)	1
Huile de maïs	1
Huile de tournesol	0
Huile d'arachide	0

- *Les huiles de maïs et de tournesol* (qui sont les plus consommées et de loin) sont les moins conseillées : elles contiennent très peu d'oméga 3, et beaucoup trop d'oméga 6 (des acides gras peu recommandables). Évitez-les.
- *Les huiles de lin et de colza* présentent les meilleurs rapports oméga 3/oméga 6. C'est oui !
- *L'huile d'olive* contient peu d'oméga 3, mais elle apporte d'autres acides gras très intéressants (mono-insaturés). Et de précieux polyphénols, responsables de sa couleur verte et de sa légère amertume. Les polyphénols sont étroitement impliqués dans notre bien-être. C'est oui.
- *Les « gros matériaux »* cités plus haut (protéines, graisses, glucides), resteraient inertes sans les **micronutriments** qui permettent de les transformer en énergie. Les indispensables sont représentés par le magnésium et les vitamines A, B, C et E.
  - Le magnésium est « surutilisé » en cas de stress, d'exposition permanente au bruit (bureau, environnement...) et quand les besoins énergétiques augmentent car il participe aux processus métaboliques de fabrication de l'énergie. Le manque de magnésium est une des raisons majeures

de la perte de tonus et de résistance au stress. Il en résulte une fatigue chronique, de l'irritabilité, des coups de pompe, de l'anxiété, une plus grande difficulté à réparer les dégâts cellulaires dus aux radicaux libres et une tendance à la spasmophilie pour certaines personnes (voir p. 107).
Meilleures sources de magnésium : voir p. 47.

- Série B : la vitamine B6 agit en synergie avec le magnésium. Les vitamines B1, B2, B3 jouent un rôle direct dans l'élaboration de l'énergie et le contrôle de l'humeur.

Meilleures sources naturelles de vitamines B

Porc, poulet, noisettes, **foie**, pain complet, lentilles, céréales complètes, pommes de terre, œufs, champignons, yaourt, viande, pain complet, légumes verts cuits, poivron, thon, dinde, saumon, autres viandes et poissons, légumineuses, farine de blé entière, fruits.
Le foie est un excellent fournisseur de vitamines B, mais c'est aussi un organe d'élimination : préférez-le issu d'un animal bio.

- Reste à protéger vitamines et acides gras de l'oxydation. C'est le rôle des antioxydants, brillamment représentés par leurs chefs de file : le bêta-carotène (provitamine A), les vitamines C et E.

Meilleures sources d'antioxydants… et autres bons plans

Fruits de saison chaque jour ; en hiver, optez pour les fruits exotiques, particulièrement riches en antioxydants (mangue, papaye, goyave, ananas frais). Évitez les fruits hors saison, chers et pauvres en micronutriments.
Céréales complètes et légumes frais chaque jour ; pour les fibres et tout un tas de bonnes choses…
Fruits de mer quand vous le pouvez, pour leur richesse en magnésium (pensez aux bulots ! Mais pas trop à la mayo !).

PROTÉINES DU MATIN, MALIN

Viande poisson, œuf et végétaux riches en protéines dont les acides aminés servent à fabriquer des substances dynamisantes et antistress. Le petit-déjeuner doit donc, logiquement, en apporter. Sinon, ne vous étonnez pas de rester dans les nimbes jusqu'à l'heure du déjeuner où, espérons-le, vous consommerez un plat complet (comprenez : incluant une source de protéines). Une feuille de salade accompagnée d'une rondelle de tomate ne constitue PAS un repas complet. Votre corps puisera alors sa dîme dans son propre stock de protéines : moral en berne, épuisement garanti, et prise de poids assurée à terme.

BONS ACIDES GRAS, MORAL AU TOP

Les « bons gras » sont indispensables pour un travail efficace entre neurones. On sait depuis longtemps que les oméga 3 sont nécessaires pour garder le moral en hiver (manque de sommeil, déprime) et pendant ou après une épreuve – le stress type de la femme enceinte et de la jeune maman (baby blues, mummy blues).

SUCRES À IG BAS DU SOIR, BONSOIR

Légumineuses, céréales *complètes* (le riz, les pâtes ou le pain *blancs* ne renferment PAS de sucres à IG bas), petits pois, chocolat (quelques carrés seulement svp !) doivent figurer à chaque repas, et en quantité suffisante.

SÉROTONINE, UNE CLAQUE À LA DÉPRESSION !

Les œufs, les laitages, les viandes – dont la dinde – le poisson, le soja, la tomate, l'aubergine, l'avocat, le pain au blé complet, la banane, la datte, la noix, la prune sont des précurseurs de tryptophane. Ce dernier donne naissance à une substance, la sérotonine, apaisante, rassurante. Un petit peu à chaque repas aide à garder un niveau constant de cette fameuse sérotonine.

FOU DE MAGNÉSIUM

Nous serions tous bien inspirés d'augmenter nos apports en magnésium. Les premiers candidats sont les spasmophiles, les personnes stressées, les femmes au régime (« aigu » ou « chronique ») les sportifs et tous les « athlètes du quotidien », c'est-à-dire les gens fatigués. Tous ces boulimiques de magnésium doivent augmenter leur ration quotidienne de ce minéral magique.

Les adultes sont censés ingérer 6 mg de magnésium par jour et par kilo de poids corporel, et ce chiffre grimpe vertigineusement dès lors qu'on est soumis à un stress quotidien. Or, une bonne fraction de la population ne reçoit même pas les deux tiers des apports recommandés « de base »... En effet, les produits raffinés (sel blanc, pâtes blanches, farine blanche) ont perdu au passage le magnésium qu'ils contenaient. Ceux riches en sucre et en graisses sont dramatiquement pauvres en magnésium et, pire, un régime riche en graisses empêche même son absorption. Heureusement, il nous reste le chocolat... boudé par la majorité des femmes au régime, ce qui représente du monde ! L'apport alimentaire, donc, est insuffisant. Quant à nos pauvres nerfs stressés, ils sont d'autant plus réactifs que nous manquons de magnésium... et un déficit nous rend plus sensibles au stress. Un cercle vicieux partagé par bon nombre de nos concitoyens.

Dans l'intimité de nos cellules

Le magnésium sert à tout : comme la vitamine D, il aide le calcium à se fixer sur l'os ; il régule la contraction musculaire de la tête aux pieds ; il lutte contre les manifestations allergiques ; il participe à la formation de collagène, une substance indispensable pour tous nos tissus. Même le cerveau en consomme dix fois plus que les autres organes !

Les contraceptifs oraux (pilule) accentuent les pertes (donc les besoins) en magnésium. Idem pour les œstrogènes fabriqués par le corps. Les deux se conjuguent pour intervenir dans le syndrome prémenstruel. Toutes les femmes sous pilule et/ou sujettes aux désagréments précédents les règles devraient augmenter leurs apports en magnésium.

Le manque de magnésium augmente la vulnérabilité au stress de façon spectaculaire. C'est particulièrement vrai pour l'exposition au bruit. Mais en réalité, comme tout stress provoque une fuite urinaire du magnésium, les petites misères de la vie forment une coalition pour vider nos stocks dans la journée. Et le soir, la simple vue d'un poil de chat sur le canapé nous plonge dans des abîmes de désespoir nerveux. À l'inverse, un bon statut en magnésium réduit considérablement l'impact du stress, notamment en empêchant la sécrétion de cortisol, une hormone qu'il vaut mieux ralentir dans son élan.

Tout serait si simple s'il suffisait de prendre du magnésium pour le garder ! Mais non, les cellules stressées le laissent fuir, comme on l'a vu, et le remplacent entre autres par du sodium. Pour « imperméabiliser » la cellule, et donc limiter les fuites, la taurine est requise. Elle protège les membranes cellulaires, préserve les équilibres entre minéraux. Sa botte secrète ? Elle fixe le magnésium dans la cellule. Inutile donc de se bourrer de ce dernier si nos cellules se comportent comme des passoires. Enfin, le magnésium sans vitamine B6, c'est comme Dupont sans Dupond : une erreur. Les deux fonctionnent main dans la main et œuvrent dans un même but : votre bien-être.

À lire et à oublier

On ne trouve jamais de magnésium à l'état pur dans la nature. Il est toujours combiné à d'autres éléments chimiques, notamment la silice. Il est cependant très répandu dans les sols, dans les végétaux (il entre dans la composition de la chlorophylle) et dans l'eau de mer : les océans abritent 60 millions de milliards de tonnes de magnésium !

Le bon plan : les eaux minérales riches en magnésium

En cas de vie « normalement » stressante, une alimentation quotidienne riche en magnésium suffit à répondre aux besoins. Les meilleures sources de magnésium sont : les fruits de mer (surtout les bulots), le chocolat noir, le cacao en poudre, les fruits secs, les oléagineux (noix de cajou, amandes, noix du Brésil...), les dattes, le pain complet, les épinards, les bettes à cardes, les haricots verts, les noix, les céréales, les germes de blé, les céréales de son, le soja. Mais un litre quotidien d'eau riche en magnésium (Arvie, Badoit, Contrex, Courmayeur, Hépar, Quézac, San Pellegrino, Talians) peut couvrir jusqu'à un tiers de nos besoins. On arrive alors à recharger ses « batteries » en 4 jours. Si vous êtes fatigué, stressée... que risquez-vous à essayer ? Vous avez du mal à boire toute cette eau ? Pensez à préparer le thé (café) avec, ou éventuellement à cuire vos aliments dedans (soupes...).

En cas de « coup dur » ou de période stressante à l'horizon, une supplémentation en magnésium est le bon réflexe. Non seulement vous serez beaucoup plus serein, mais encore vous sortirez de votre épreuve moins épuisé.

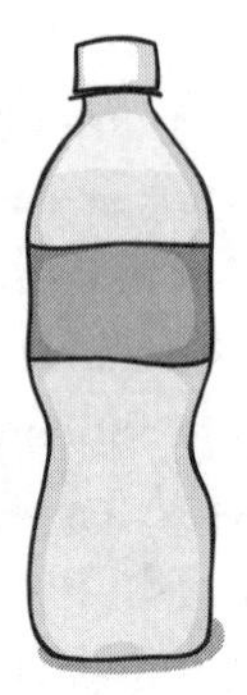

Si vous vous supplémentez en magnésium

Il ne faut pas déséquilibrer le délicat rapport calcium-magnésium, un couple un peu explosif mais cohérent. Le supplément en magnésium est à prendre au quotidien, comme « traitement de fond », tandis que le calcium est à choisir en cas de fatigue nerveuse brutale. Lorsque des envies de meurtre s'insinuent dans votre esprit ou que les premiers signes d'une crise de spasmophilie (fourmillements, « poids » sur la poitrine, paupière qui tressaute…) vous rappellent à l'ordre, jetez-vous sur un comprimé effervescent de calcium (500 mg). L'effet calmant est immédiat et durable.

Attention ! La supplémentation en magnésium est contre-indiquée dans les cas suivants : cystite, myasthénie (maladie musculaire), bradycardie (un trouble cardiaque particulier), insuffisance rénale grave.

7 ASTUCES POUR NE PAS LAISSER S'ENVOLER LES VITAMINES

Acheter des aliments riches en protéines, IG bas, bons gras, vitamines et minéraux, c'est bien. Tout gâcher par un mauvais stockage ou une préparation inadéquate, c'est mal. Pour maîtriser le b.a.-ba de la cuisine antistress, il faut un minimum d'équipement :

① *Un couteau économe ou un épluche-tomate :* bien aiguisé, il permet d'ôter une fine pellicule de peau, sauvegardant ainsi une bonne partie des substances nutritives du légume ou du fruit.

② *Des récipients en verre* opaque et/ou en acier inoxydable. Ils sont indispensables pour éviter le rancissement des huiles riches en acides gras polyinsaturés. Huiles de noix, de germe de blé et autres graines doivent être conservées dans un endroit sombre, frais, hermétique... et consommées rapidement.

③ *Une brosse à ongles.* Pas pour les ongles ! Pour brosser les fruits et légumes avec de l'eau et éventuellement du savon, afin d'éliminer la pellicule de cire (pommes...), les microbes et les pesticides de surface. Cela évite de peler bien des végétaux.

④ *Des poêles et casseroles de qualité.* Si elles sont de type téflon, veillez à ce que le fond ne soit pas rayé, ni simplement usé. Non seulement le revêtement perd alors ses qualités adhésives, mais certains composés toxiques sont révélés à la chaleur et peuvent migrer dans les aliments. Il existe plusieurs couches successives de produits d'accrochage, puis des silicones, des plastifiants... Évitez également les instruments en aluminium, surtout de mauvaise qualité. Ce métal se transforme très vite, créant des substances oxydantes : une fois absorbé par l'organisme, l'aluminium détruit la vitamine C et favorise la rétention du plomb. Les meilleurs ustensiles sont ceux en terre pour la cuisson à l'étouffée ou au four, et en Pyrex car ce verre résiste à la chaleur et à l'acidité des aliments. Quant aux épaisses poêles en Inox, elles coûtent cher mais résistent plus d'une décennie sans se déformer : elles sont parfaites, tout comme la fonte de qualité. Attention cependant à la fonte émaillée et à l'acier émaillé susceptibles de contenir parfois du plomb dans leur émail. Le plomb est particulièrement toxique pour l'homme.

⑤ *Des couvercles hermétiques,* pour éviter que les nutriments s'évaporent avec la vapeur d'eau. Toutes les bonnes odeurs de cuisine qui flottent agréablement dans la maison sont des nutriments en moins pour vous...

⑥ *Couper les légumes,* les fruits, les noix, les graines, les herbes... juste avant de les servir ou de les faire cuire. En tranchant les végétaux, on libère une enzyme qui détruit la vitamine C, et l'aliment s'oxyde alors à vitesse grand V. Vous pouvez ralentir le processus en arrosant les parties découpées de jus de citron.

⑦ *Ne pas laisser tremper les aliments* dans l'eau, sauf les légumineuses. Lavez plutôt à grande eau et brossez les carottes. Les nutriments – surtout les minéraux – migrent facilement dans l'eau de trempage... et dans le siphon de l'évier.

UN BON ÉQUILIBRE ACIDO-BASIQUE*

Le corps ne peut fonctionner correctement qu'à deux conditions : une température interne de 37 °C et un pH sanguin de 7,4. Tout est conçu dans notre organisme pour respecter ces chiffres précis. S'ils sont modifiés même de façon infime, nous sommes stressés pour un rien, fatigués, notre mémoire flanche, notre peau est « moche », nous souffrons de douleurs musculaires ou articulaires, nous prenons du poids facilement, etc. Sur le paramètre 37 °C, nous n'avons aucune maîtrise : c'est notre corps qui s'en charge. Il fait monter la fièvre ou nous fait transpirer pour au contraire réduire la température, et ce de façon indépendante de notre volonté lorsqu'il juge que c'est nécessaire.

Le stress est impliqué !

Sur le paramètre pH sanguin, en revanche, notre hygiène de vie joue un rôle primordial. Bien sûr, l'organisme possède divers mécanismes très perfectionnés pour contrôler ce pH et s'assurer qu'il reste bien à 7,4. Mais notre alimentation, notre niveau de stress et d'activité physique,

---

* Lire *Le grand livre de l'équilibre acido-basique* et *Mes petites recettes magiques acido-basiques* (Leduc.s éditions).

jouent également un rôle important. Une mauvaise hygiène de vie, alimentaire en particulier, favorise l'acidification, tandis qu'une bonne hygiène alimentaire est au contraire alcalinisante. C'est le concept de « régime alcalin ». Or, le premier équilibre chimique du corps est l'équilibre acido-basique : il se trouve dans une fourchette de pH très précise. Dès que l'on s'en écarte, principalement en raison d'une alimentation déséquilibrée, trop riche en protéines et en sucres, et trop pauvre en fruits et surtout en légumes, on est anxieux, déprimé, stressé pour un rien.

Les épinards zen

Notre alimentation est souvent trop acidifiante : elle génère des acides dans le corps (qui n'ont rien à voir avec le goût acide). Malheureusement, ce déséquilibre acido-basique influence négativement nos sécrétions hormonales, neuro-hormonales (dans le cerveau) et immunitaires. Bilan : mal-être au quotidien, spasmophilie, ballonnements, troubles du sommeil et mauvaise résistance au stress. Une alimentation plus « alcalinisante », notamment riche en légumes verts, aidera à retrouver un bien-être mental et physique.

C'est leur composition en minéraux et éléments organiques qui rend les aliments **acidifiants** (viande, poisson, œuf, pain) ou **alcalinisants** (fruit et légumes). Il est essentiel d'associer les aliments en fonction de leur complémentarité. L'abondance du potassium dans les végétaux neutralise non seulement les propres acides du végétal, mais encore ceux produits par la dégradation des protéines animales. C'est pourquoi il est important de consommer de la viande avec des légumes et non avec des pâtes (bolognaise) ou du fromage (cheeseburger).

Notre humeur et notre sérénité reposent en partie sur notre stock de magnésium et de calcium. Or, ces deux précieux minéraux, très alcalinisants, sont réquisitionnés par l'organisme pour neutraliser l'hyperacidité en cas d'alimentation déséquilibrée. Rectifier son assiette facilite le retour à la sérénité et à la joie de vivre.

Plus étonnant encore, consommer chaque jour des fruits et légumes, en grandes quantités, diminue de près de 30 % le risque de faire une dépression. C'est énorme ! Ceci est dû à divers facteurs, comme consommer davantage de vitamines, de minéraux, de fibres, d'antioxydants (autrement dit des aliments alcalinisants), et moins d'aliments provoquant des micro-inflammations (aliments acidifiants).

15 aliments recommandés

1. Céréales complètes : pain complet, pâtes complètes, riz brun
2. Flocons d'avoine
3. Amande
4. Noix
5. Noisette
6. Noix de cajou
7. Lentille
8. Haricot sec
9. Petit pois
10. Légumes verts aux feuilles foncées (type épinard)
11. Avocat
12. Fruits secs
13. Banane
14. Germe de blé
15. Levure de bière, levure maltée

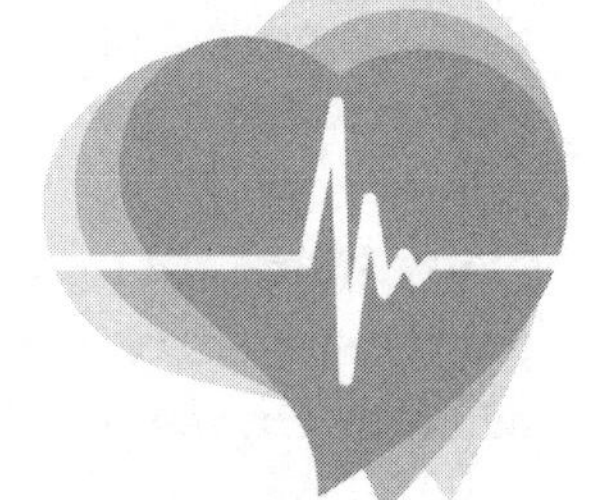

Les bonnes associations

L'effet acidifiant des viandes et des œufs provient de leur richesse en acides aminés soufrés et en phosphore. L'action alcalinisante des fruits et légumes est liée à leur faible taux de protéines et de phosphore, et à l'abondance du potassium. L'objectif n'est certainement pas d'éliminer les aliments acidifiants (ils sont même hyper-importants pour le moral, grâce à leurs protéines), mais de trouver l'équilibre ! Concrètement, les associations une viande ou un poisson + un fruit ou un légume sont parfaites. Exemples :

- melon/jambon de Parme
- pomme de terre/fromage
- céréales/légumes
- œuf/légumes
- céréales/fruits
- charcuterie/pomme de terre/légumes

Les fruits en dessert améliorent à eux seuls l'équilibre acido-basique de l'ensemble du repas. En dépit de leur saveur acide, les agrumes ne sont pas acidifiants mais alcalinisants.

Les principaux aliments en un coup d'œil

ACIDIFIANT ☹	NEUTRE 😐	ALCALINISANT ☺	TRÈS ALCALINISANT ☺ ☺
Viande, poisson, œuf			
Tous (crevette, cabillaud, bœuf, canard...)	-	-	-
Légumes, céréales, épices			
Graine de tournesol, fève, pois cassé	Amande, noix de macadamia	Pomme de terre, haricot sec	Châtaigne, graine de soja, toutes les épices (poivre, gingembre, curcuma...), toutes les herbes (basilic, menthe, persil...)
Fruits			
Datte	Cranberry, grenade	Noix de coco, raisin, abricot, pomme, banane	Agrumes (citron, orange, pamplemousse...), fraise, framboise, mûre, melon, pastèque...
Huiles, beurre et sauces			
-	Huiles en général (d'olive, d'avocat, etc.)	-	-
Produits laitiers			
Presque tous, surtout les fromages	Yaourt	-	-
Douceurs			
-	La plupart	-	-
Boissons			
Boisson au lait (milk-shake...), alcool	Eau, thé, café, kéfir	Jus d'ananas, jus de tomate	Jus d'agrumes, de pomme, de raisin

Et comme on mange rarement un aliment seul, il faut apprendre les bonnes combinaisons pour un équilibre acido-basique optimal à chaque repas.

BONNE ASSOCIATION ACIDO-BASIQUE ☺	**MAUVAISE ASSOCIATION ACIDO-BASIQUE ☹**
Steak + épinards	Steak + pâtes
Spaghettis sauce napolitaine	Spaghettis sauce bolognaise
Lasagnes aux légumes	Lasagnes 4 fromages
Saumon + haricots verts	Saumon + lentilles
Œuf + tomates provençales	Œuf + chorizo + riz
Salade thon, maïs, mâche, pignons de pin...	Salade jambon, saucisson, œuf, croûtons
Fromage + raisin	Fromage + pain
Sandwich jambon crudités + 1 fruit	Sandwich jambon beurre + 1 yaourt

MON HUMEUR ET MES INTESTINS

Notre flore intestinale est fortement impliquée dans notre bien-être. Un certain microbiote* incite à l'anxiété et au stress, voire à l'agressivité, tandis qu'un autre, au contraire, pousse au calme, à la joie de vivre et à l'équilibre. Cela a été spectaculairement démontré scientifiquement. Tout se passe comme si les intestins donnaient des ordres ou tout du moins des messages au cerveau pour qu'il se comporte de telle ou telle manière.

C'est aussi grâce à cette même flore que nous assimilons correctement les nutriments. Lorsqu'elle est désorganisée – et un rien la perturbe ! stress, alimentation inadaptée, changement de climat... –, l'immunité est moins efficace, le tonus est en baisse, l'humeur en berne, l'anxiété s'invite. Une alimentation variée et naturellement riche en fibres est indispensable à la bonne marche des opérations. En cas de déséquilibre avéré, une supplémentation temporaire en probiotiques peut être précieuse.

* = flore intestinale.

En pratique

On trouve les probiotiques dans les yaourts (pas tous !) et les produits lactofermentés comme la soupe miso, la choucroute…
On trouve les prébiotiques (des fibres particulièrement intéressantes pour le microbiote) dans plusieurs fruits et légumes (artichaut, banane, oignon), dans des céréales complètes…
À savoir : une flore intestinale perturbée, c'est en plus l'assurance de mal assimiler les vitamines et minéraux des aliments mais aussi des suppléments alimentaires. Inutile de se nourrir idéalement et de se ruiner en comprimés si les nutriments ne sont pas absorbés !

POUR OU CONTRE LA CAFÉINE

La caféine (café, thé, cola) stresse. En effet, si elle génère souvent une euphorie momentanée, elle stimule également la fabrication de cortisol, une hormone du stress qui augmente le rythme cardiaque et la tension artérielle. Le stress s'aggrave, et appelle « un autre café ». On peut facilement imaginer qu'une consommation quotidienne, même modérée, puisse induire un stress permanent. C'est d'ailleurs justement ce que recherchent les consommateurs assidus de « petit noir », qui redoutent une baisse de vigilance en l'absence de leur caféine.

En réalité, la caféine ne stimule pas, mais empêche les cellules nerveuses de recevoir les signaux « apaisants » que fabrique naturellement le cerveau. Les neurones restent ainsi sur le qui-vive de façon forcée, en puisant dans leurs réserves. En outre, la caféine, surtout si elle est associée à du sucre, peut déclencher une hypoglycémie réactionnelle, ou chute du taux de sucre dans le sang. Résultat : fatigue, irritabilité et appétit insatiable.

L'une des grandes injustices de la vie, c'est que le seuil de tolérance à la caféine est éminemment variable d'un individu à l'autre. Les personnes qui bénéficient d'un équipement enzymatique puissant détruisent rapidement la caféine et supportent une consommation parfois phénoménale de café. Les autres ont plus de mal à éliminer le toxique, ce qui ne veut pas dire qu'elles ne prennent pas de plaisir à siroter une tasse après le déjeuner...

Âmes sensibles s'abstenir

La caféine est un alcaloïde qui perturbe les centres nerveux et provoquent des réactions nerveuses chez les personnes qui y sont sensibles. Aux États-Unis, l'Association psychiatrique américaine classe d'ailleurs le caféisme (intoxication à la caféine) parmi les troubles mentaux. Cela permet ainsi aux psychiatres de ne pas faire « l'impasse » sur le sujet lors de l'interrogatoire d'une personne angoissée ; ainsi, l'association estime que plus de 25 % d'entre elles seraient soulagées en arrêtant la prise de caféine plutôt qu'en continuant de s'intoxiquer tout en prenant un médicament antiangoisse en plus ! En effet, beaucoup d'individus « café-addict » ne pensent pas en avaler des quantités déraisonnables alors qu'elles boivent parfois 10 à 15 tasses par jour, voire plus ! Les personnes déjà sujettes à des angoisses devraient être particulièrement attentives à leur consommation de caféine, car chez elles cela peut carrément mener à des attaques de panique, même avec 2 ou 3 tasses seulement. Les grands buveurs de thé sont aussi concernés, de même que les forts consommateurs de colas.

En pratique

- *Pas question de se priver de café* (ou de thé) si c'est un plaisir ; à raison de 1 à 2 tasses par jour, vous n'en tirez d'ailleurs que des bénéfices : la caféine tient en éveil et la queue à la machine à café est un grand moment de convivialité qu'il ne faudrait pas rater... Cependant, au-delà de 5 tasses par jour, et bien avant si vous êtes sensible à la caféine, vous épuisez vos neurones sans leur rendre service.
- *Dans tous les cas, boire sans sucre est préférable,* c'est pourquoi les boissons caféinées au cola (type Pepsi, Coca-cola, etc.) ou les boissons énergisantes ne sont pas conseillées. Même celles dites « sans sucre » (les

édulcorants ne valent pas mieux que le sucre, pour diverses raisons).

- *Le café n'a jamais nourri son homme,* et consommer une tasse le matin sans rien manger est une aberration.
- *La chicorée* apporte moitié moins de caféine. De plus, elle possède certaines propriétés intéressantes, notamment digestives. Elle est tonique pour le cerveau tout en écartant l'insomnie. Elle est conseillée aux travailleurs de nuit, premières « victimes » de l'abus de café, ou à ceux qui ont « besoin » de boire leur litre de café chaque jour.
- *Le café décaféiné n'est pas forcément un bon plan :* non seulement il contient toujours de la caféine (environ 6 mg par tasse, contre 60 à 120 pour un « normal »), mais éventuellement aussi des résidus toxiques du solvant. À moins qu'il ne soit décaféiné « à l'eau » auquel cas il n'a plus de goût. Bref, mieux vaut une tasse de bon café naturel que plusieurs « décas » médiocres.
- *Le tabac accélère l'élimination de la caféine,* et incite le fumeur à boire plus de café. C'est pour cela que ces deux « drogues » ont toujours fait bon ménage... et que les deux sont stressantes !

Le cas particulier du thé

Personne ne conteste plus les bienfaits du thé. Certes, il contient de la caféine (appelée alors théine), mais chaque tasse en apporte deux fois moins que le café. Par ailleurs, qu'il soit noir ou vert, le thé apporte des quantités appréciables de substances protectrices, dont des antioxydants et des molécules naturellement antistress. Tea time : un moment de calme et de sérénité dans un monde de brutes.

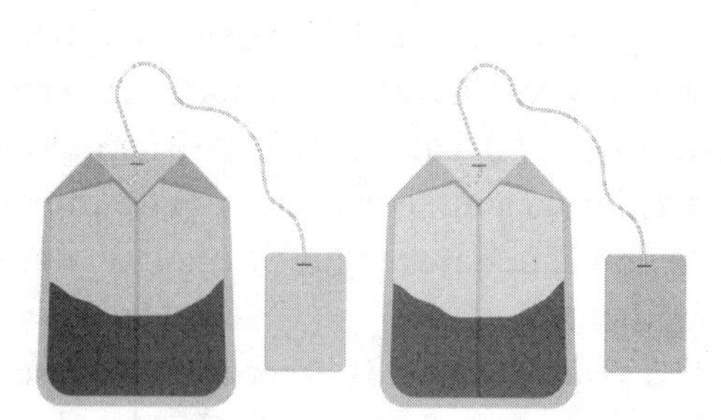

Chapitre 3

Ma boîte à outils SOS stress

Des petits outils antistress, il en existe des centaines, des millions même. Tous sont utiles, aucun ne réglera tout et aucun ne convient à tous : combinez-en 4 ou 5, vous constaterez immédiatement un mieux-être, dès la fin de la première semaine. Le stress n'est pas une calamité, il est même très positif. Sans lui notre existence serait morne, sans aucun relief ni en bien ni en mal. Calme plat, encéphalogramme plat, bref, pas folichon.

Même si le corps s'en mêle et le fait bruyamment savoir par le biais de migraines, de maux de ventre et d'une fatigue permanente, c'est parfois la tête qui souffre. Si vous vous noyez dans le stress, inutile de traiter chaque jour la même migraine ou les mêmes maux de ventre : déroulez le fil et remontez à l'origine du problème. Si c'est votre collègue de bureau que vous ne supportez plus, l'aspirine n'y changera rien. Identifiez vos stress et expliquez-leur qui est le chef : vous. On ne peut pas toujours se soustraire à un stress, mais il est en revanche forcément possible d'en atténuer l'impact. Les conseils suivants sont à mettre en pratique d'urgence, et à ranger dans le compartiment « réflexes basiques de comportement de survie » de votre mémoire. Vous devez les appliquer sans même y penser, partout, tout le temps. C'est exactement ce que font les personnes qui restent calmes en toute circonstance.

1. NE MANQUEZ PAS D'AIR

Lorsqu'on est agressé par le monde extérieur, le corps réagit par une opération de repli. Il imagine que plus il se fait petit, moins on le voit, ou moins il offre de prise à l'adversaire. Pas de chance : tout devient plus petit, y compris la cage thoracique. Le souffle court et saccadé, on respire à l'économie, et toutes les cellules ne sont pas servies en oxygène.

Cela n'a l'air de rien. Pourtant, maîtriser sa respiration, c'est se maîtriser tout court. Des substances apaisantes sont secrétées par le cerveau pour prévenir l'ensemble de l'organisme que « tout va bien », tous les échanges ioniques sont modifiés, ce qui signifie que toutes les cellules sont mieux ravitaillées, le travail cardiaque est plus efficace, etc.

La respiration profonde s'apprend plus ou moins naturellement lorsqu'on pratique un sport, surtout s'il fait appel aux techniques respiratoires (natation). La relaxation ou les arts martiaux en font l'une de leurs règles n° 1. Si vous n'êtes ni athlète, ni yogi, exercez-vous à respirer. Vous serez surpris de la simplicité du geste et des effets qui en découlent !

En pratique

D'abord, entraînez-vous chez vous, loin de tout stress. Allongé dans le calme, les mains posées sur le ventre, à deux doigts au-dessous du nombril (le siège du « hara », notre QG énergétique), suivez par la pensée l'air qui pénètre dans votre corps. Il se glisse dans vos narines, descend dans la gorge, se répand dans les poumons et...

s'arrête contre la paroi du diaphragme. Là, prenez-le par « la main » et emmenez-le plus bas, dans l'abdomen : votre ventre va se gonfler. Les mains sentent le mouvement, ce qui vous aide à en prendre conscience. Ne retenez pas l'air (pas de respiration « forcée »), laissez-le juste s'échapper le plus lentement et totalement possible. Recommencez une dizaine de fois puis arrêtez. Rapidement, vous pratiquerez cette respiration une à deux fois par jour de façon automatique – elle éveille le matin et apaise le soir ! Surtout, appelez-la à la rescousse en cas de stress débordant. Un pro de la respiration peut s'octroyer une respiration profonde n'importe où, n'importe quand, même debout ! Ces quelques molécules d'air en plus font toute la différence...

Voir les « minutes zenrespir » de votre programme.

2. LAISSEZ S'ENVOLER LES TENSIONS

Ce sont elles les responsables de nos maux de dos, de tête et autres douleurs qui font un raid sur notre carcasse en fin de journée. Au lieu de vite rentrer chez soi pour s'affaler dans un canapé avec une aspirine, octroyez à vos pauvres muscles quelques loisirs. Vous verrez, non seulement c'est beaucoup plus efficace que l'aspirine, mais encore, cela améliore l'humeur. Votre entourage va apprécier...

En pratique

20 minutes par jour de marche à l'extérieur, c'est le minimum syndical pour que votre organisme s'oxygène. En dessous, il se rebelle, et c'est légitime. Ce n'est pas compliqué de descendre deux stations de métro plus tôt, ou de s'organiser pour caser ces quelques poignées de minutes de marche dans une journée. Si en plus vous pensez à offrir à votre corps quelques grands verres d'eau dans la journée, il nagera dans le bonheur et vous le rendra au centuple. Au régime marche + eau, on finit moins ses journées sur les nerfs.

3. UN TEMPS POUR TOUT

L'une des erreurs les plus grossières de notre activité sociale est de ne pas respecter les rythmes biologiques propres au corps humain. Nos horloges internes suivent leur tempo, et lorsqu'on les perturbe, elles nous le font savoir bruyamment (décalage horaire, par exemple).

Le blues du lundi

La mauvaise humeur du lundi n'est pas un mythe. L'organisme, extrêmement routinier, doit retrouver les repères qu'il a perdus au cours du changement de rythmes du week-end (grasses matinées, horaires des repas différents...). Et il le fait de mauvaise grâce... Le nombre d'accidents du travail est au maximum, la mémoire est moins bonne, la sociabilité aussi, les performances mentales sont en général améliorables... et améliorées le lendemain, car le mardi est le meilleur jour pour les activités intellectuelles.

4. MÉNAGEZ-VOUS

On ne cesse d'insister sur un droit fondamental accordé aux enfants : celui de rêver, de jouer, de se reposer, bref, de vivre. Et pourquoi donc ces moments merveilleux seraient-ils réservés aux enfants ? Mystère. Bien sûr, vous n'avez pas forcément envie de vous asseoir par terre pour échanger des Pokémons. Votre moment-évasion à vous, c'est peut-être le bain moussant, une balade, la lecture d'un roman, une passion, comme de vous occuper d'un animal ou d'un jardin ? Aucune importance, ce qui compte, c'est que vous « décrochiez » et plongiez dans un monde rien qu'à vous un petit peu chaque jour.

Décidez que cette pause, c'est pour vous et vous seul. Informez votre entourage que si vous végétez dans un bon bain, ce n'est pas pour faire réciter en même temps les devoirs de l'aîné ni pour lire les factures EDF. Normalement, ils comprendront. Sinon, soyez ferme.

La « pause doudou » de votre programme entre dans cette catégorie.

5. ETEIGNEZ VOTRE PORTABLE. PAS EN VEILLE, ON A DIT ÉTEINT !

Lorsqu'on parle de « décrocher », c'est dans tous les sens du terme. Éteignez votre portable, votre smart phone, vos alertes sur iPod, iPad, iPhone et compagnie, et passez non pas en mode « veille » ni même en mode « avion », mais en mode « e-détox ». Nous vous en reparlerons tant ce stress est devenu prégnant dans notre vie quotidienne, mais le fait est que pouvoir être joint partout et tout le temps est un moyen de pression permanent. En plus, on finit par confondre « urgence » et « importance ». Le signal d'appel multiplie par deux la dose d'actions inachevées, puis reprises, puis zappées. Aussi incroyable que cela puisse paraître, on parvient parfaitement à vivre en ayant un téléphone portable éteint au fond d'un sac, et non posé bien en vue sur la table. Pour le sevrage, commencez pas quelques dizaines de minutes par jour, vous verrez, ça ne fait pas mal.

Voir les « minutes e-détox » de votre programme.

6. POSITIVEZ

Les jours de grisaille, appelez ce bon vieux docteur Coué à la rescousse. Sur le même principe que « l'appétit vient en mangeant » et « le sourire appelle le sourire », si vous faites semblant d'avoir la pêche, vous vous sentirez déjà mieux. La méthode Coué, c'est se répéter inlassablement « chaque jour, je me sens de mieux en mieux », et comme notre subconscient est naïf comme pas deux, il y croit. D'accord, ça ne résout pas tous les problèmes, mais ça en aplanit certains et le fait de positiver est plus agréable pour tout le monde, vous et vos proches. Positivez sur vous-même, mais aussi complimentez les autres (vos enfants, votre partenaire, vos collègues) : les petites choses gentilles valorisent votre interlocuteur qui, pour en entendre encore, vous les rendra au centuple.

Évitez de naviguer à vue

Positiver, c'est aussi tirer le maximum de plaisir de ce qu'on fait là, tout de suite. Ce n'est pas parce que ça ne va pas au boulot (ou à la maison, ou...) que tout est à l'avenant. Les fraises sont succulentes, et le vendeur de journaux vous gratifie d'un sourire vraiment craquant ? Profitez-en, c'est toujours ça de pris. Offrez-vous des cargaisons de plaisir, procurez-en le plus possible aux autres sans attendre de contrepartie. C'est trop bon ! Forcez-vous un peu, même – et surtout – si ça vous paraît au-dessus de vos forces. Par exemple, faites des projets de vacances ou d'achats, même si c'est l'hiver et que vous avez du mal à voir plus loin que le bout de votre nez... rouge et bouché. **Fixez des dates.** Il n'y a rien de plus fatigant nerveusement que de naviguer « à vue » : lorsqu'une journée chasse l'autre et qu'il n'y a pas d'objectif à l'horizon, on a l'impression qu'on ne s'en sortira jamais.

Pour ne pas ruiner ces louables efforts, bannissez autant que possible les pensées (et paroles) négatives, les plaintes perpétuelles, les critiques systématiques qui empêchent le plaisir d'émerger et le tuent dès qu'il ose apparaître. Et sans devenir psychorigide, essayez de faire des émules avec cette nouvelle religion : expliquez à tous les copains (ou copines) qui râlent en permanence que leurs jérémiades finissent par vous gonfler, et que ça n'a jamais fait avancer le schmilblick.

Sale journée

Si dès le petit-déjeuner vous sentez que c'est un jour « sans », prenez les devants. Expliquez à ceux qui peuvent le comprendre que vous n'êtes pas « d'humeur » et qu'aujourd'hui, ce sera sans vous. Comme ils n'y sont probablement pour rien, mettez-vous réellement en retrait, parlez le moins possible afin d'éviter de dire des choses horribles qui dépassent votre pensée, endiguez le flot d'émotions négatives et incompréhensibles pour les autres, et concentrez votre énergie sur deux ou trois choses essentielles à faire dans la journée. Le soir, vous aurez réussi à mener à bien ces quelques bricoles, ne vous serez pas dispersé sans aboutir à rien, et n'aurez froissé personne qui vous soit cher. Arriver à limiter les dégâts, c'est déjà un bel exploit !

7. LE SPORT, UNE « BONNE » FATIGUE ANTISTRESS

L'activité physique est toujours recommandée aux personnes nerveusement « à plat ». La phrase « je ne vais pas au sport parce que je suis stressé » devrait tout simplement être interdite.

Le sport nous redonne deux fois l'énergie qu'il nous prend, aussi, plus on est stressé, sédentaire et fatigué de l'être, plus on a besoin de faire de l'exercice. L'activité physique possède même de véritables vertus antidépressives.

Pour vivre harmonieusement et se sentir bien dans ses cellules, le corps réclame du mouvement. Dans le cas contraire, les tensions s'accumulent. Or, notre société impose un sprint permanent de l'esprit dans un corps immobile, sagement assis devant un ordinateur. La solution : l'activité sportive, et particulièrement celle où l'on se déplace (running, vélo, danse). On devient vite accro, car l'endurance déclenche la sécrétion de substances « bien-être » que l'on ne trouve nulle part ailleurs. En outre, seul l'effort physique régule les hormones de la glycémie et de l'appétit. Impératif : choisir une activité qui plaît, sinon il y a 100 % de chances que le matériel finisse au fond d'un placard.

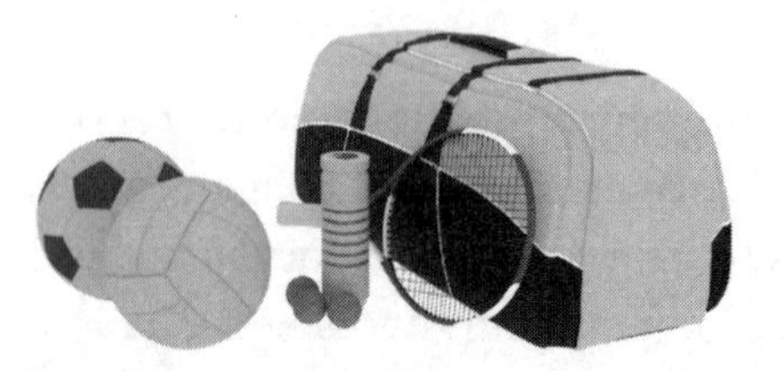

L'important est de se sentir bien dans sa peau et dans sa tête, et pas de privilégier l'un par rapport à l'autre.

Courir, pédaler, marcher, nager... : autant de puissants antidotes à la déprime. Le sport est une véritable immunisation contre le stress. Non seulement l'activité physique renforce le taux de sérotonine, mais aussi son efficacité au niveau cérébral. C'est logique puisque l'une des principales fonctions de cette hormone est de préparer à l'activité physique. Certains types de mouvements génèrent même plus de sérotonine que d'autres : c'est le cas des gestes répétitifs, ce qui explique l'effet sédatif d'activités telles que le ping-pong !

En pratique

- **Mieux vaut faire du sport dehors,** en pleine nature (reportez-vous à « Faites la collection d'ions négatifs », p. 86), mais même en ville, et même en salle, bouger est toujours bénéfique. Une séance de 45 minutes à 1 heure, 3 fois par semaine, semble idéale pour lutter efficacement contre le stress. Mieux vaut pratiquer régulièrement que se surpasser une fois de temps en temps !

- **Fixez-vous des objectifs.** Une course de 5 km si vous débutez en running. Se renseigner sur les cours de volley ou de plongée en piscine à côté de chez vous. S'inscrire à une initiation au golf ou au tennis lors de votre semaine de vacances en club. Monter à cheval pour une balade sur la plage pour la première fois de votre vie. Ce que vous voulez, mais un défi, un challenge réalisable et qui vous demande néanmoins un effort. C'est bon ! C'est antistress !
- **En surpoids ? Des douleurs articulaires ? Un traitement épuisant ?** Pensez à l'aviron. Ce sport est souvent le seul possible pour certaines personnes, notamment atteintes d'artériopathie. Et il procure des sensations antistress XXL ! Renseignez-vous, les débutants non sportifs sont les bienvenus en section « Aviron-santé ».
- **Voir aussi « Longe-côte »**, p. 90.

J'ai un agenda surbooké

Vous « adoreriez faire du sport » mais vous « n'avez pas le temps ». Faux problème, évidemment, puisque les plus assidus au sport sont aussi les plus actifs professionnellement (surtout parmi les femmes). Logique : on est dans une « dynamique » ou on ne l'est pas. Et lorsque ce n'est pas le cas, la réponse est ailleurs. Par exemple : quel est mon rapport au temps ? Pourquoi je ne m'accorde pas une plage horaire rien que pour moi ? Si vous étiez sur le point d'avancer l'argument de l'agenda surbooké, vous savez maintenant que c'est inutile...

Mathématiquement, c'est simple : le bien-être passe par un minimum d'activité physique. Et comme c'est limpide pour vous et que vous acceptez de faire travailler autre chose que vos méninges, l'affaire se présente plutôt bien. Seulement voilà : entre la bonne volonté et l'action, il y a souvent un pas qui n'est jamais franchi, et répéter « je commence » demain comme un mantra est insuffisant pour entrer dans le cercle privilégié des sportifs.

Alors suivez les « minutes zensport » de notre programme, elle vous donneront des ailes et, espérons-le, l'envie d'en faire plus.

8. L'ART DE LA PARESSE

« Tu t'agites, tu t'agites, mais tu ne fais rien... », dit un koan zen. C'est toute la différence entre « ne rien faire », et « ne faire rien ». Subtil ? Pas tant que cela. « Ne rien faire », c'est surfer sur la vie sans y entrer en profondeur ; c'est soulever du vent, c'est se croire efficace parce qu'on est débordé. Tandis que « faire rien » relève du grand art auquel peu de gens sont aptes. C'est s'autoriser des moments vides d'action pour mieux pouvoir se remplir ensuite. De quoi ? On ne sait pas, mais d'autre chose. Adieu stress, pression, peur du vide, de la mort et de la solitude ! Bienvenue à la rêverie et à votre monde intérieur.

Buller : un nouveau commandement

Soyons bien clair : buller, ce n'est pas traîner chez soi en bas de survêtement avec une radio comme bruit de fond et un masque au concombre sur le visage. Non, paresser, c'est entrer en rébellion contre le cycle infernal du produire-consommer qui pousse l'Homme a toujours « plus ». Paresser n'a rien à voir non plus avec s'autoriser ½ heure de sport le jeudi soir « parce que ça fait du bien ». Aucun rapport toujours avec une heure entourée sur l'agenda : *paresser*. Non. Paresser, c'est une vraie philosophie. C'est retrouver un sens à la vie, c'est éprouver plutôt que prouver.

De la paresse à la méditation

Bon, d'accord, ce ne sont que des mots. Alors mettons en pratique : la vraie paresse a besoin d'espace, elle ne se contente pas de quelques poignées de minutes volées entre deux activités stressantes. Elle s'étend, lascive, impose sa présence, exige de reprendre sa place au cœur de nos vies frénétiques. Elle veut être élue, se conçoit comme une activité en soi.

Quant à la méditation zen et son assise absolument immobile, elles nécessitent mine de rien un certain travail musculaire : c'est à ce seul prix que les idées et les visions prennent naissance : tout le contraire de l'endormissement !

La justification scientifique

Toutes les 90 minutes, notre cerveau « décroche » et réclame sa pause. On s'en rend à peine compte, mais il s'offre une rêverie. Normalement, c'est le moment de s'arrêter si l'on veut être en harmonie avec nos rythmes. Un organisme agressé par le stress sans possibilité de libérer sa tension n'a pas le temps de revenir à son état normal. Pas étonnant qu'il ressemble ensuite à un ressort tiré en permanence. Pendant les périodes de détente, l'organisme consomme moins d'oxygène et rejette moins de gaz carbonique ; les hormones retrouvent un équilibre, le taux d'acide lactique du sang diminue. Les organes travaillent plus efficacement, la circulation s'améliore et davantage de sang parvient aux extrémités. L'esprit est alors en alerte, mais calme et tranquille. Ce fait a d'ailleurs été objectivé par un électro-encéphalogramme pratiqué durant la méditation ; il révèle une meilleure qualité de l'éveil mental et une plus grande cohérence entre les deux hémisphères cérébraux.

Dans le calme du monde

La détente, le repos et les moments de paresse sont indéniablement importants pour être en forme. Lorsqu'on plonge en soi, on s'éloigne de la fureur bruyante de la société pour se rapprocher du calme du monde. Exactement comme lorsqu'on contemple une autoroute depuis le hublot d'un avion en vol : des petites voitures s'y déplacent sans un bruit, tout est serein.

9. COLORIEZ LES PETITS PAPIERS !

Les mandalas, sortes de figures géométriques répétées à l'infini, sont d'excellents modèles pour un coloriage antistress à pratiquer n'importe où, n'importe quand. Et ça marche ! Parce qu'il faut se concentrer pour ne pas déborder, pour bien choisir ses couleurs, pour appuyer régulièrement afin d'obtenir un trait harmonieux, etc. Mais si ça vous chante de colorier des animaux, des plantes, des lettres de l'alphabet... libre à vous. L'important, c'est de se concentrer sur quelque chose que l'on crée, sans esprit de compétition, sans peur de « rater », en maniant des objets que l'on connaît depuis tout petit. Retour aux fondamentaux, à l'enfance, à cette fibre « artiste » qui sommeille en chacun de nous. Téléchargez nos modèles de coloriages antistress (voir p. 192). Ils sont offerts par la maison. Et appliquez-vous !

Les « minutes zenjeu » et les « minutes zenart » de votre programme entrent aussi dans cette catégorie.

10. FAITES LA COLLECTION D'IONS NÉGATIFS

En dépit de leur nom, les ions négatifs sont très positifs. Mais encore ? L'air est rempli d'atomes d'oxygène chargés d'électricité. En principe, il devrait être « neutre », mais sous diverses influences, les atomes perdent des électrons (ils deviennent des ions positifs) ou en gagnent (ils deviennent des ions négatifs). Les premiers nous fatiguent et nous énervent tandis que les seconds nous tonifient et nous détendent. Selon l'environnement où l'on évolue, on baigne dans les ions positifs (villes, bureaux, zones polluées, endroits clos) ou négatifs (nature, forêt, plage, montagne, proximité d'eau jaillissante naturelle). Les ions négatifs sont très fragiles : ils sont détruits ou arrêtés par tous les types de polluants, les grands murs, les espaces fermés. Alors, les ions positifs les remplacent et prolifèrent. L'influence biologique exacte de tous ces ions suscite encore de nombreuses controverses, mais le résultat objectif ne fait aucun doute et est admis par tous : on se « sent mieux » dans la nature qu'en ville.

D'après divers scientifiques, parmi les influences biologiques des ions négatifs nous trouvons : une stimulation de la thyroïde, des ovaires, des testicules, de la sécrétion lactée, une amélioration de la vigilance, une augmentation d'ondes alpha (relaxation), une diminution de l'anxiété, un apprentissage et une mémorisation facilités, une régularisation de la tension artérielle, une diminution de la douleur. Les ions positifs génèrent exactement les effets inverses avec, en prime, un sommeil moins profond et une augmentation de l'agressivité.

Les mines d'ions négatifs

- Près d'une cascade à la montagne : 50 000 ions négatifs/cm^3.
- En montagne : 8 000 ions négatifs/cm^3.
- Après l'orage : 1 500 à 2 500 ions négatifs/cm^3.
- À la campagne : 500 à 1 000 ions négatifs/cm^3.
- Et aussi : au soleil, en forêt, près des jets d'eau et fontaine, près des vagues (au bord de la mer), sous une douche...

Les endroits où on en trouve le moins

- En milieu fermé : habitation, bureau, école : 10 à 20 ions négatifs/cm^3.
- En voiture : 15 ions négatifs/cm^3.
- Dans les endroits soumis à l'air conditionné : 0 ion négatif/cm^3.
- Et aussi : avant l'orage, aux équinoxes, lors de la pleine lune, en hiver, lors de brouillards, dans les lieux encaissés, au contact de tout tissu synthétique, si l'air est pollué (tabac, poussière, gaz de combustion), près des appareils électriques (télé, ordinateur, etc.).

En pratique

Le citadin qui se rend le week-end dans un coin de nature s'y sent toujours très bien. En dehors du paysage apaisant et de l'air plus pur, ce sont aussi les ions négatifs qui font la différence.

En ville, marchez le plus souvent possible dans les parcs et jardins, surtout près des fontaines d'eau, prenez des douches, sortez vous balader après la pluie... Et aussi : allumez un feu de cheminée ou des bougies, disposez des plantes dans les pièces. Dès que vous le pouvez, allez vous ressourcer en pleine nature. Et méfiez-vous de la clim ainsi que de tous les lieux clos, avec impossibilité d'ouvrir les fenêtres. C'est de plus en plus souvent le cas dans les grandes villes, surtout à l'étranger. Paris reste une ville très « historique » avec des immeubles nantis de vraies fenêtres... Chose difficile désormais à trouver à New York, Montréal, Londres ou Seattle !

11. PARTIR À LA MER

Quand la fatigue nous envahit lentement mais sûrement, que la lassitude et l'irascibilité ont déjà laissé place à des rhumes à répétition et à des troubles du sommeil, la grande bleue reste la voie royale pour chasser ce gris qui nous pèse.

D'abord, **l'eau de mer**. Grâce aux sels minéraux qu'elle cache, elle permet à notre pauvre corps immergé de se délasser. Il n'y pèse plus que 10 % de son poids réel : à vous souplesse et mobilité ! Idéal pour s'adonner au longe-côte, cette nouvelle activité qui consiste à marcher dans la mer avec de l'eau jusqu'au ventre voire jusqu'à la poitrine, en longeant le bord. Le longe-côte se pratique toute l'année (avec une combinaison en néoprène en hiver pour les mers trop fraîches) et fait vraiment un bien fou. Le corps se détend, on marche à la fois facilement (génial pour toutes les personnes qui ont mal à leurs articulations, notamment hanches, genoux) et à la fois difficilement car on lutte contre le courant, les vagues, la masse de l'eau (super pour stimuler la circulation du sang).

Enfin, **l'air marin**. Frottement de l'air sur les vagues, électricité due au rayonnement solaire... c'est un festival d'ions négatifs ! Ces aérosols naturels pénètrent par nos voies respiratoires pour notre plus grand bien. Ils améliorent l'oxygénation pulmonaire, accroissent le nombre de globules rouges et, d'une manière générale, favorisent l'ensemble des fonctions de notre métabolisme. Une simple balade prolongée en bord de mer vous requinque en profondeur. Et, parfois, permet de « faire le point » et de réduire fortement le stress du simple fait d'être face à cette masse d'eau si énorme. Solitude face à la mer...

12. SE PROTÉGER DU BRUIT

Le chien aboie, la caravane passe... et ça s'entend. Surtout si le voisin d'à côté vit en direct le match de foot à la télé, et que le couple du dessus règle ses comptes à renfort d'assiettes qui volent. On ne s'en rend pas compte, mais les jours s'écoulent sur un fond sonore très préjudiciable à nos nerfs. Car le bruit, notamment en ville, est le stresseur n° 1. Celui qui peut rendre fou, celui qui pousse certains à prendre une carabine ou un fusil pour « tirer dans le tas » afin de retrouver le calme, celui qui bien évidemment empêche de se détendre, de se reposer, de dormir. Dès que l'on peut, il faut baisser le son !

Nous croyons nous habituer au vacarme, il n'en est rien. Car si nous arrivons à en faire abstraction, l'organisme, lui n'oublie pas. Et il peut même en devenir fou ! Les méfaits des nuisances sonores ne se limitent pas aux troubles de l'audition. Laissons de côté les bruits auxquels certains masochistes exposent leurs délicats tympans de façon consciente : « MP3/ MP4 » ou « play-list » vissé sur les oreilles en permanence, volume sonore monté à fond, concert ou boîte de nuit. Ça rend sourd, mais pas forcément fou. La deuxième catégorie de bruits, ce sont les sons imposés, que l'on subit au quotidien. Imprimantes, bouteilles qui s'entrechoquent, marteaux piqueurs, mais aussi trafic d'aéroport ou d'autoroutes, concerts de klaxons... conjuguent leurs décibels pour déséquilibrer l'ensemble de l'organisme. Exposés à cette pollution sonore, notre capacité de résistance à tout type d'agression diminue, ce qui peut mener certaines personnes à la dépression nerveuse ou à d'autres maladies psychiques ou physiques. Des études montrent que le bruit provoque des désordres hormonaux, et que le nombre de consultations médicales est plus élevé en environnement bruyant qu'en zone calme.

Le sommeil ne fait pas écran

Pendant notre sommeil, l'attaque est encore plus sournoise. Lorsque nous sommes éveillés, le cerveau peut identifier l'origine des bruits et relativiser le danger qu'ils représentent. Peu à peu, il réagit moins. Mais lorsque nous dormons, les neurones se laissent perturber par ce tintamarre surprenant, et les manifestations physiologiques qui résultent du stress occasionné – notamment l'accélération du rythme cardiaque – se reproduisent chaque nuit. Le dormeur ne s'en aperçoit pas ou ne s'en plaint pas, mais les enregistrements par encéphalogramme révèlent une permanence des effets sur l'organisme. Il faut donc améliorer autant que possible l'environnement acoustique de la chambre (quitte à revoir l'isolation phonique de la pièce ou à utiliser des bouchons d'oreilles) y compris chez les enfants.

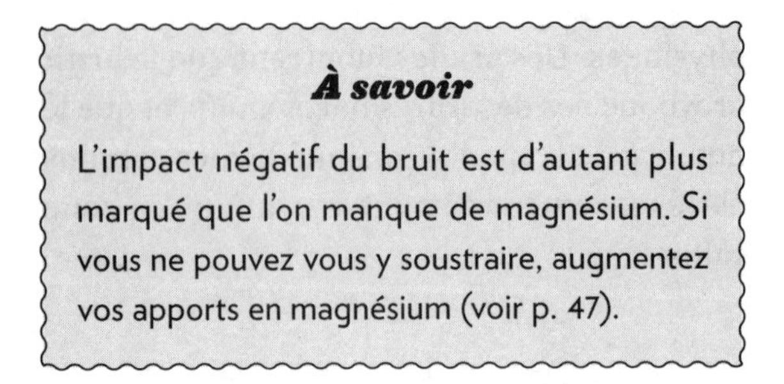

À savoir

L'impact négatif du bruit est d'autant plus marqué que l'on manque de magnésium. Si vous ne pouvez vous y soustraire, augmentez vos apports en magnésium (voir p. 47).

QUAND LES ADULTES MANQUENT DE SOMMEIL

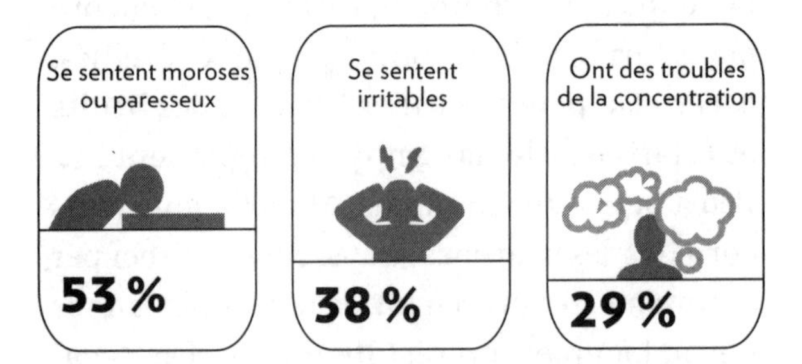

13. ODEURS ANTISTRESS

Certaines odeur liftent le moral et font basculer dans la joie de vivre. Une senteur nous prend par surprise, et hop ! nous voilà instantanément plongés des années en arrière, bercés par un souvenir bien précis induit par cette alchimie olfactive. Les odeurs du bonheur ont ainsi donné des idées aux fabricants de parfums : « Ô oui », « Happy », « Vocalise », « Zen for men »... des noms qui sonnent comme autant de promesses de plaisir et de joie. Plus naturel et moins onéreux pour calmer vos petits nerfs, rien de plus simple et naturel que de diffuser des huiles essentielles apaisantes. Versez simplement quelques gouttes sur une soucoupe que vous placez de préférence sur une source de chaleur. Si vous êtes fan, faites l'acquisition d'un humidificateur d'air dans lequel vous mélangez de l'eau et des huiles : un vrai bonheur doublé d'une atmosphère plus saine. Parfait en hiver, quand les microbes ont tendance à prendre leurs aises, car les huiles essentielles vont en plus assainir la pièce. Double effet !

Ondes négatives positives (quand les odeurs soignent les nerfs)

En associant la connaissance orientale des plantes aux découvertes en aromacologie (science des arômes respirés), on peut améliorer notre qualité de vie. C'est particulièrement au Japon, où les techniques antistress sont les plus avant-gardistes, que les chercheurs de Shiseido et Takasago étudient le pouvoir harmonisant des fleurs et ajoutent subrepticement à leurs jus des molécules aromacologiques aux vertus antistress, lesquelles se traduisent par des notes pétillantes pour les récepteurs olfactifs. Le cerveau reste le chef d'orchestre, à qui l'odorat transmet des informations contenues dans le parfum. Il suffit de lui envoyer des odeurs de jasmin et le voici aussi excité que s'il venait juste d'avoir son petit noir au comptoir ! En revanche, proposez-lui de la lavande, et il émettra les ondes CNV (Contingent Negative Variation) de la détente. Grâce aux émanations de rose, les pulsations cardiaques s'abaissent : les gens sont manifestement plus calmes. Le citron, lui, est indiqué pour réduire le taux de cortisol, une hormone du stress, même lorsqu'il est très élevé.

Choisissez votre huile essentielle antistress

Les huiles essentielles peuvent faire des miracles contre le stress. Au moins, pendant que vous barbotez dans votre bain odorant ou que vous vous faites masser par l'homme (ou la femme) de votre vie, les angoisses et autres idées fixes reprennent la place qu'elles n'auraient jamais dû quitter :

celle de déchets indésirables qui pourraient bien disparaître dans le siphon de la baignoire avec l'eau du bain.

Les huiles essentielles déclenchent la sécrétion de substances apaisantes et antidouleur dans le cerveau. Choisissez une ou deux huiles parmi les plus appropriées, mais pas plus.

QUELLE HUILE…	… POUR QUEL TYPE DE STRESS ?
Marjolaine des jardins	Agitation, migraine
Basilic	Spasmes douloureux engendrés par le stress, migraine, mal au ventre
Bergamote	Anxiété, nervosité
Citron	Apathie, fatigue générale, ennui
Ylang-ylang	Calme apparent (mais stress intérieurement), stress émotionnel qui dure mais qu'il ne faut pas montrer – lié à un proche malade par exemple
Cyprès de Provence	Chagrin, irritabilité, stress mental
Menthe poivrée	Choc, pensées négatives, épuisement nerveux
Camomille romaine	Colère, culpabilité, excitabilité

→

QUELLE HUILE…	… POUR QUEL TYPE DE STRESS ?
Eucalyptus radié, pin sylvestre, arbre à thé	« Nœud » qui bloque et pourrit la vie
Lavande officinale	Épuisement (physique ou nerveux), sautes d'humeur, traumatisme, insomnie
Cèdre de l'Atlas	Insomnie, excitabilité, stress mental
Sauge sclarée	Sautes d'humeur liées au cycle féminin, stress lié à la ménopause, mal-être
Orange	Pensées négatives, perte d'intérêt dans la vie

Attention !

Sauf exception, n'appliquez jamais d'huile essentielle pure sur la peau. Dans une optique antistress, mélangez 3 ou 4 gouttes dans l'équivalent de 2 cuillères à soupe d'huile végétale (amande douce par exemple). Utilisez ensuite en massage ou délayez dans l'eau du bain.

Voir les « minutes zenaroma » de votre programme.

14. CURE DE LUMIÈRE CONTRE IDÉES NOIRES

Vers la fin du mois d'octobre, on passe à l'heure du syndrome de dépression saisonnière, ou SAD. Le *Seasonal Affective Disorder*, directement lié au manque de lumière, mène tout droit à la déprime. Vous vous sentez fatigué, irritable, on vous accuse d'être « mal luné ». Pour vous remonter le moral, vous dormez comme un loir, mais d'un sommeil de mauvaise qualité, et vous mangez comme quatre, plutôt des bonnes choses grasses et sucrées que des haricots verts vapeur. La prise de poids qui en résulte peut être importante. Déroutant aussi, la sociabilité, la libido et l'envie de vivre peuvent descendre en flèche, et certaines personnes développent même des idées suicidaires. Vous présentez tous les symptômes du blues de l'hiver, qui peut affecter n'importe qui. On recense environ 19 % de la population touchée par ce syndrome, dont 75 % de femmes, mais selon certains spécialistes, presque tout le monde en serait plus ou moins affecté. Il apparaît aux alentours de l'équinoxe d'automne, s'amplifie durant l'hiver et s'étend jusqu'au mois de mars. Aux premiers jours de l'été, tous les symptômes ont disparu, mais ces mois à broyer du noir sont décidément bien longs.

Le plein de lumière pour un esprit plus clair

Lors du SAD, la sécrétion de mélatonine, une hormone fabriquée par une glande dans le cerveau, est perturbée. Or, cette horloge maîtresse de l'organisme est directement influencée par la lumière du jour, qui baisse tant en hiver que l'œil n'en reçoit plus que 1 500 lux (unité de mesure d'éclairement lumineux, 1 lux = environ la lueur d'éclairage d'une bougie) contre 50 000 voire 100 000 lux lors d'une belle journée d'été. Et c'est pire si vous restez confiné chez vous (soit 90 % du temps selon les statistiques), puisque seuls 300 à 500 petits lux parviennent jusqu'à votre pupille.

Souffrez-vous de SAD ?

Jusqu'à quel point êtes-vous affecté par l'arrivée de l'hiver ?

SIGNES	PAS DE CHANGEMENT	LÉGER CHANGEMENT	CHANGEMENT CERTAIN	CHANGEMENT TRÈS MARQUÉ
Activité sociale		X	XXX	XXXX
Humeur		X	XXX	XXXX
Appétit		X	XXX	XXXX
Poids		X	XXX	XXXX
Libido		X	XXX	XXXX
Énergie		X	XXX	XXXX
Durée du sommeil		X	XXX	XXXX

Plus vous comptabilisez de X, plus vous êtes affecté par le changement de saison. Il est normal d'en additionner 7. Au-delà, soyez vigilant. À partir de 12 croix, il est probable que vous souffriez d'une authentique dépression hivernale. Dans ce cas, vous relevez d'un traitement de photothérapie.

En pratique

Sortez, profitez du plus minuscule des rayons de soleil pour vous balader. Mais chez certaines personnes, cela ne suffira pas. Les plus chanceux partent au bout du monde, c'est en effet le meilleur moment de l'année pour aller s'étaler sur une plage des Maldives, les doigts de pieds en éventail. Mais si ces vacances de rêve ne sont pas prévues au programme, la seule solution, c'est la cure de lumière, ou photothérapie. Une séance d'une demi-heure par jour d'exposition pendant une ou deux semaines suffit pour vous faire traverser l'hiver la tête haute et sans ronchonner. Vous pouvez trouver un appareil de photothérapie dans les grands magasins électroménagers (comptez plus de 150 €) : c'est le plus pratique. Exposez-vous à sa lumière tous les matins, tout en vaquant à vos occupations. Si vous ne souhaitez pas vous équiper, renseignez-vous dans les hôpitaux près de chez vous afin de suivre cette cure de lumière salutaire. Certains généralistes ou psychiatres disposent également de cet appareil dans leur cabinet.

15. FLEURS DE BACH CONTRE NERFS À VIF

Plutôt que d'offrir un bouquet de roses à votre fiancé(e), meilleur(e) ami(e) ou maman au bord de la crise de nerfs, apportez-lui un flacon d'élixir floral. Parmi les 38 fleurs de Bach, quelques-unes ont la prétention de soulager la fatigue nerveuse. Edward Bach, médecin de son état, affirmait que les émotions négatives pouvaient générer une maladie physique. Il affirmait également que certaines fleurs ont le pouvoir d'apaiser nos tourments, et à constater le succès mondial des fleurs de Bach, on dirait bien qu'il avait raison. Dès le début du XXe siècle, Bach classa donc les 38 tourments de l'âme les plus fréquents, et y associa une fleur.

Les fleurs de Bach sont fabriquées selon une formule très simple – eau de source, fleur, soleil (ou même ébullition, parce que le soleil, en Angleterre…), on stabilise le résultat grâce à un bon alcool Brandy. Vraiment pas mauvais !

Fleurs de Bach, mode d'emploi

Il n'y a pas plus simple. Commencez par identifier l'émotion qui vous traverse avec des mots simples et précis (voir page suivante). Demandez éventuellement de l'aide à votre entourage, parce qu'il n'est pas toujours facile d'admettre que l'on est jaloux ou égoïste ! C'est fait ? Alors la moitié du chemin est parcourue. Une fois →

que vous avez sélectionné la ou les fleurs qui vous conviennent, il suffit de prendre quelques gouttes plusieurs fois par jour, directement sur la langue ou diluées dans un verre d'eau. Il n'y a pas de posologie stricte. Normalement, ça marche vite, sauf si le problème est ancré depuis longtemps. Lorsqu'on n'a plus besoin de son flacon, en général, on l'oublie tout simplement dans un coin ! Les fleurs de Bach sont à prendre en automédication, vous ne risquez absolument rien si vous en prenez trop ou pas assez. Elles n'agissent pas comme un médicament, mais délivrent un « message » à notre âme meurtrie. Attention ! LES ÉLIXIRS FLORAUX NE GUÉRISSENT PAS DE TROUBLES PHYSIQUES.

Attitude générale

- **Mimulus** (Mimule) : la fleur de la peur au quotidien. Peur d'être malade, d'échouer, de perde son emploi, de mourir, des petites bêtes... tout ce qui peut être identifié.
- **Red chestnut** (Marronnier rouge) : la maman-poule (ou le papa-poule) qui imagine toujours le pire pour ses proches. Pour

arrêter de les étouffer à force de vouloir les protéger...

- ❀ **Centaury :** pour toutes les personnes qui ne savent pas dire « non ».
- ❀ **Pine :** pour tous ceux qui culpabilisent, qui ne se pardonnent pas, qui s'excusent d'exister.

Problèmes professionnels

- ❀ **Gentian** (Gentiane) : en cas de découragement et de désespoir.
- ❀ **Star of Bethlehem** (Étoile de Bethléem) : si vous êtes bouleversé suite à un licenciement.

Trop de travail

- ❀ **Olive** (Olivier) : contre l'épuisement en général, y compris émotionnel.
- ❀ **Vervain** (Verveine) : si vous êtes enthousiaste à l'excès et ne parvenez pas à vous détendre.

Examen ou permis à passer

- **Larch** (Mélèze) : contre le manque de confiance en soi.
- **Rescue** (mélange de fleurs) : pour calmer les nerfs juste avant une épreuve.

Séparation

- **Honeysuckle** (Chèvrefeuille) : pour arrêter de « ruminer » le passé.
- **Willow** (Saule) : contre le ressentiment et l'apitoiement sur son sort.
- **Walnut** (Noyer) : pour accepter le changement et se « faire plus vite » à la nouvelle situation.

Sommeil perturbé

- **Rock rose** (Hélianthème) : contre les rêves terrifiants.
- **White chestnut** (Marronnier blanc) : pour calmer les préoccupations et les discussions intérieures envahissantes.
- **Agrimony** (Aigremoine) : pour ceux que les inquiétudes cachées tiennent éveillé.

16. SPASMOPHILES, LES MÉDAILLÉS D'OR DU STRESS

La spasmophilie c'est un peu comme si le corps traduisait en spasmes votre niveau de stress. Zéro stress = zéro crise. Un stress plus ou moins violent ou prolongé et hop ! une crise peut s'inviter. La première crise de spasmophilie, on s'en souvient toute sa vie parce que c'est violent, et que ça ne ressemble à rien d'autre. Les suivantes seront en tout point semblables. Et un jour ou l'autre, chaque spasmophile éprouve la terrible sensation de se vider de toute énergie vitale, ou même de mourir. Par la suite, il attend dans l'angoisse d'une prochaine crise. Du fait que la spasmophilie n'est pas une maladie « organique » (aucun organe n'est atteint), il n'existe aucun traitement allopathique, et cela peut paraître déprimant. En revanche, les médecines de terrain font des merveilles. La spasmophilie est due à une hyperexcitabilité neuromusculaire. Comme nous avons des muscles et des nerfs partout, elle peut se manifester partout. Voilà pourquoi elle est surnommée « la maladie aux mille visages », et pourquoi il est si difficile d'en faire un portrait précis. Mais globalement, on peut dire que les spasmophiles se « sentent mal », parfois tout le temps, parfois par « crises », sans qu'il y ait forcément de rapport avec l'environnement. Ce n'est pas parce qu'on est soumis à un gros stress qu'on va forcément faire une grosse crise : cette dernière peut survenir n'importe quand. Mais évidemment, le stress est un déclencheur privilégié. Les patients peuvent être atteints de tremblements, de fourmillements dans les mains et les pieds, de crampes nocturnes, de contractures musculaires, et/ou de battements incontrôlables des paupières. Mais ils peuvent aussi se plaindre de douleurs abdominales (parfois si violentes qu'on les confond avec une crise d'appendicite !), de difficultés respiratoires, de flous visuels, de colite, d'humeur changeante, de maux de tête, d'extrémités froides, de malaises, de troubles digestifs, d'impression de boule dans la gorge, de « côtes qui se resserrent », de pics au niveau du cœur...

De la spasmophilie à la tétanie

On peut être légèrement spasmophile, ou franchement handicapé par ces attaques surprises. À l'extrême, le spasmophile peut faire des crises de tétanie : rythme cardiaque au plafond, respiration saccadée, muscles raides, paralysie presque totale... et ça passe. Cela vous consolera peut-être de savoir que l'on partage ces symptômes avec les vaches. Celles dont le pâturage est pauvre en magnésium souffrent de la « tétanie d'herbage ». Cette maladie est traitée par les vétérinaires par adjonction de magnésium dans la nourriture du début du printemps !

Après la crise

La spasmophilie est un état d'hyperexcitabilité nerveuse, c'est-à-dire que le système nerveux envoie trop d'influx vers les organes qu'il innerve. En cause : une mauvaise pénétration du calcium dans la cellule, et un déficit en magnésium. On ne sait pas exactement pourquoi, mais peut-être que les personnes spasmophiles captent mal le magnésium, et donc il ne sert à rien de leur en donner s'il n'est pas absorbé. C'est pourquoi il faut toujours lui associer des « fixateurs », tels que la vitamine B6 et la taurine. L'hygiène de vie est si importante qu'elle en est le premier traitement, et de loin. Un spasmophile ne « joue pas la comédie » comme le croit souvent son entourage, et si l'on est spasmophile, en général on n'en « guérit » pas. Mais il est tout à fait possible d'espacer les crises jusqu'à en faire une par an voire moins, et encore très atténuée. On garde cependant son terrain spasmophile (« affinité pour les spasmes »), qui refait surface si les conditions lui sont favorables.

SOS

C'est la crise, elle arrive, vous n'avez pas de calcium sous la main. N'inspirez pas profondément de l'air pur : c'est l'inverse qu'il faut faire. Prenez un sac plastique ou n'importe quel récipient fermé et respirez dedans. La raréfaction de l'oxygène augmente le taux de gaz carbonique, ce qui provoque une pénétration immédiate de calcium dans les cellules nerveuses. L'amélioration est instantanée.

En pratique

① *Évitez les aliments appauvris* (plats préparés industriels, céréales raffinées, crudités en sachets...). Préférez toujours les produits frais, simples, de saison, les plats préparés « maison ». Chez les spasmophiles, un repas légèrement déséquilibré peut « prendre des proportions » et provoquer une crise. N'oubliez pas : un spasmophile est hypersensible à tout, y compris à la pauvreté en nutriments.

② *N'affamez jamais vos cellules en calcium.* Les aliments riches en calcium : sardines en boîte AVEC arêtes, saumon en boîte AVEC arêtes, hareng en conserve AVEC arêtes, rhubarbe, figues séchées, épinards cuits, brocolis cuits, choux cuits, pissenlit, tofu, graines de sésame entières, produits laitiers.

③ *N'affamez jamais vos cellules en magnésium.* Reportez-vous p. 44.

④ *Le stress peut provoquer une crise.* Stress positif (naissance, promotion, gain au Loto), stress négatif (deuil, séparation, licenciement), mais aussi stress environnemental (grand froid ou chaud, cohue, bruit…). Protégez-vous.

⑤ *Le manque de sommeil peut déclencher une crise.* Malheureusement, les spasmophiles souffrent souvent de troubles du sommeil, eux qui ont tant besoin de dormir ! Un rythme de vie régulier est hautement conseillé, en évitant des sorties trop rapprochées en soirées. Pensez à toujours bien récupérer, notamment le week-end, en allant faire de grandes balades à l'air pur. Pratiquer une activité antistress est impératif : sport, yoga, taï-chi, ce que vous voulez, mais là encore cette activité doit être régulière.

17. DE L'ACTIF SURMENÉ AU BURN OUT, C'EST GRAVE DOCTEUR ?

Vous voulez bien introduire quelques moments de calme dans vos journées trépidantes, mais quand ? Entre les enfants à récupérer à l'école, les dossiers à terminer dans la soirée, les devoirs à faire réciter, les vacances à organiser, le minimum syndical pour ravitailler la maison et préparer de bons petits plats qui plaisent à l'homme, le cours de Pilates du lundi, la soirée hebdomadaire entre filles du jeudi, par où commencer ? C'est simple : par arrêter. Une fois que vous aurez compris que vous ne ferez jamais entrer 30 heures dans une journée (c'est scientifiquement prouvé), vous aurez franchi un immense pas dans la compréhension de votre stress... et donc dans sa résolution.

Après le burn out, l'inavouable bore out

Le burn out, on commence à le connaître, lui et son inexorable fin en forme de dépression. On sait qu'il est le résultat d'une trop grande pression au travail. Le bore out, c'est la cause inverse : pas d'enjeu, pas de pression... et l'ennui s'installe. Mais un ennui qui stresse au point de mener à la dépression grave. Les causes sont connues, mais... inavouables ! Comment s'épancher auprès de personnes qui rêvent de s'ennuyer tout en étant payées ? Alors on se ronge, coincé entre la honte de voler son salaire et la souffrance... jusqu'à l'implosion.

L'instinct de survie : commander une pizza

D'abord, arrêtez de vous croire indispensable. Bien souvent, les personnes « surbookées » le veulent bien, ce sont elles qui ont mis en place un système qui les fait tourner en rond. Un exemple parmi d'autres : si à la maison, c'est vous qui préparez à manger et que parfois, vous aimeriez mieux vous jeter à plat ventre sur le lit pour lire une BD, que va-t-il se passer ? Tout de suite, vous pensez à l'apocalypse. Vous verrez qu'il n'en est rien. Parfois, tout simplement, la personne qui partage votre vie et vous voit avachie sur la couette peut *comprendre* sans que vous lui expliquiez. Si vous lui montrez où se trouve le congélateur (ou les pâtes et la casserole), il (elle) saura faire. Si une telle empathie vous paraît improbable, exprimez-vous clairement et sans agressivité : « Je n'ai pas envie de préparer à manger. » La première fois, c'est sûr, ça déroute. Mais l'instinct de survie reprend vite le dessus, et ça ne tuera personne d'avaler une pizza livrée en 30 minutes, ou d'en profiter pour aller au restaurant.

Cette technique peut être reproduite dans tous les domaines, sans exception. Bien sûr, il n'est pas question d'en abuser, et il faut savoir être honnête avec soi-même : si vous avez promis à Lucas de lui faire réciter ses leçons ce soir parce que demain il y a une interro, il faut assumer. Mais demain, à l'heure des devoirs, vous serez dans votre bain, point. Quelqu'un a une objection ? Non. Personne ne trouvera rien à redire à ce que vous vous isoliez du monde pendant 1 heure, quitte à faire la grosse voix la première fois. Pareil au bureau : sans prendre de bain, rien ne vous empêche – si cela est possible – de dire « non ». Non à ce dossier en trop classé dans « urgence » alors que ce n'en est pas une. Non à ce sandwich avalé en quatrième vitesse comme chaque jour depuis des semaines, debout dans l'ascenseur parce qu'il faut faire vite, vite, vite.

Attention au burn out !

Ces petits « non » peuvent vous épargner un krach professionnel parmi les plus graves qui puissent arriver : *le burn out* (littéralement : « brûlés » par le travail). Cet épuisement total se présente sous une forme simple. Un matin, vous vous réveillez, et vous ne *pouvez* tout simplement *pas* vous lever. Vous ne *pouvez pas* vous rendre à votre travail, quel qu'il soit, quand bien même vous l'adorez. Les victimes du *burn out* se sont toutes laissées envahir par leur propre agenda, et ce jour-là, tout s'arrête. Ou encore accident cardiaque en pleine réunion, ou impossibilité absolue de monter dans ce énième train ou avion « pour trajet professionnel ».

LES CHOSES LES PLUS **IRRITANTES** ET **STRESSANTES**
QUI PEUVENT ARRIVER DANS UNE JOURNÉE DE TRAVAIL

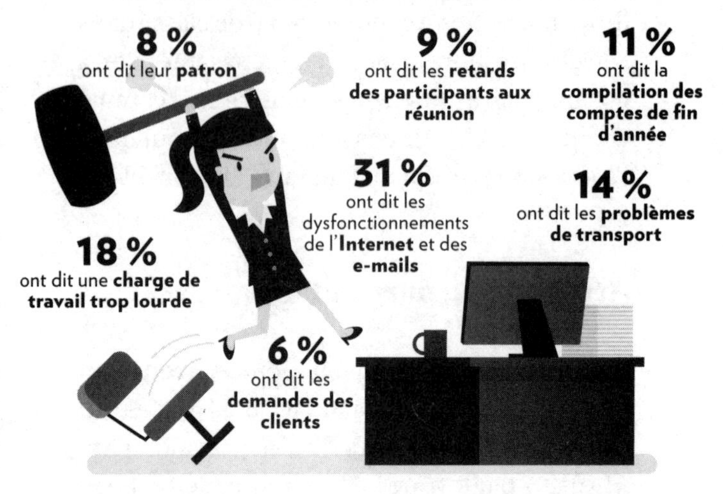

Source : Dell

Après une hospitalisation de plusieurs semaines et, souvent, de longs mois d'inactivité totale, la plupart changent carrément de métier, et il n'est pas question en tout cas de remettre les pieds dans un bureau (magasin, cabinet...) durant les 6 mois à 1 an qui suivent la crise. En France, ce syndrome menacerait 3 millions de salariés, et combien d'indépendants ou de professions libérales ? Songez qu'au Japon, ce surmenage à l'extrême s'appelle « le karoshi » et qu'il tue, paraît-il plus de 10 000 personnes par an ! En tout cas, en Europe, les psys sont formels : le plus difficile pour « les brûlés », c'est d'apprendre à vivre avec eux-mêmes, car l'hyperactivité dissimule souvent un vide intérieur. En prendre conscience, c'est déjà un grand pas vers la guérison.

Les 5 signes qui doivent vous alerter ⚠

① Des problèmes de sommeil (début, milieu, fin de nuit).
② Des douleurs à répétition (digestives, migraines, crampes, tendinites, mal au dos, torticolis...).
③ Des troubles cutanés (plaques, rougeurs, allergies).
④ Tendance à tout voir « en noir », à penser que certains complotent contre vous, à ruminer au sujet du travail, des clients, des patrons...
⑤ Plus de frontière entre vie privée et vie professionnelle : vous rapportez du boulot à la maison à faire le soir, le week-end, pendant les vacances...

Bien entendu, il peut s'agir d'une simple fatigue passagère, mais soyez vigilant et lucide : si vous cumulez plusieurs de ces points, que vos proches s'alarment et vous trouvent trop investi, écoutez-les !

Time is money

Pendant 5 minutes, analysez l'engrenage « obligatoire » dans lequel nous nous débattons tous. Courir dès le matin tout en restant connecté non-stop à nos mails et messageries en tout genre nous fait trop souvent oublier que nous n'avons qu'une vie et que nous sommes responsables de la façon dont on la garnit (ou on la sature, au choix). Si vous travaillez trop, depuis trop longtemps et que vous ne voyez pas le bout du tunnel, mieux vaut freiner avant d'être stoppé par le mur. Demandez-vous pourquoi vous travaillez autant : voulez-vous vous faire bien voir ? N'osez-vous pas demander de l'aide ? Comblez-vous un vide affectif ? Les raisons peuvent être multiples et sont souvent fondées. Mais même si vous reportez votre énergie sur le boulot, gardez-en un peu pour vous. Rappelez-vous que personne n'est parfait : on n'atteint jamais l'équilibre parfait, on ne mange jamais parfaitement, idem pour le sommeil, etc. L'important est de jouir de la vie : c'est ça qui est parfait !

La meilleure des thérapies c'est de prendre du temps pour soi. Nous ne nous aimons pas assez... déplorent les médecins, eux-mêmes débordés. Et d'ajouter : « Il existe beaucoup de faux surmenés. Ce n'est pas parce qu'on passe des heures au bureau que l'on travaille de façon efficace, ce qui est alors pire que tout ! Ainsi, les plus fatigués ne sont pas toujours les plus surchargés de boulot, ni ceux qui habitent le plus loin. Non, les plus fatigués, ce sont ceux ou celles qui ne se sentent pas reconnus, ni entendus. » Nous vivons décidément dans une société bien brutale... Ce qui pousse les médecins à imaginer un nouveau type de stress, appelé « sociétal », justement directement en rapport avec cette non-reconnaissance, qu'elle soit professionnelle ou privée. Une seule solution : changer de vie.

Chapitre 4

Programme antistress en 2 semaines

« Rester calme, c'est facile ! » Cette phrase n'engage que son auteur, Paul Wilson, le précurseur de l'antistress australien qui a apaisé des millions de personnes grâce à ses ouvrages. Nous, nous pensons que c'est un défi qu'il est très difficile de relever sans aide. C'est pourquoi nous vous avons concocté ce programme, sur lequel vous allez vous appuyer durant deux semaines. Tout y est prévu pour vous soutenir dans votre quête antistress. Chaque jour, ce mode d'emploi vous suggère des exercices respiratoires, des activités physiques, des étirements, une pointe de méditation express, des astuces pour désamorcer la tension, des points réflexo et des petites surprises ludiques histoire de vous aérer la tête.

Sans vous lâcher de la journée, cet emploi du temps antistress régente aussi votre assiette ! Des menus matin, midi et soir ainsi que des collations triés sur le volet pour leurs vertus relaxantes sont orchestrés dans le but avoué d'armer votre organisme contre l'ennemi. Et des recettes ! Faciles à réaliser et certifiées antistress, elles viendront rejoindre votre arsenal zen pour le plus grand bonheur de vos papilles. Demandez le programme ! Il s'occupe de tout.

SEMAINE 1

Lundi

C'est le top départ de votre défi. Et vous êtes mo-ti-vé ! À vous les meilleurs aliments et gestes « déstress » qui vont apaiser votre vie. Et pour démarrer en beauté et en douceur, pointez une attitude qui semble indispensable à votre bien-être, mais qui, à y regarder de plus près, vous agite et vous colle aux nerfs. Une fois cette mauvaise habitude sélectionnée, vous allez tout bonnement vous en passer. Alors, les trois petits cafés du matin, l'échange de mails frénétique avant d'aller vous coucher, ne rien rater de Facebook après dîner, éplucher vos comptes en regardant la télé, ou encore regarder des vidéos au lit... c'est fi-ni !

Bonjour !

- Levez-vous (du pied droit, si possible) et buvez un grand verre d'eau riche en magnésium (voir p. 47).

Petit-déjeuner

- *Infusion zen**
- 1 bol de céréales complètes + lait de soja
- 2 kiwis

C'est la Recette

INFUSION ZEN

Jetez 1 c. à s. de feuilles de basilic frais dans 25 cl d'eau bouillante. Laissez infuser 10 minutes puis filtrez.

CONSEIL MALIN

Si vous partez pour la journée, préparez-en trois fois plus, versez dans une Thermos : si une petite soif (ou faim) se fait sentir, cette bombe antistress fera un meilleur travail que n'importe quel soda ou en-cas sucré. En été, servez-la frappée, en y ajoutant de la glace pilée.

La minute zenrespir

Pause féline. Debout, les pieds légèrement écartés, tendez vos bras au maximum vers le plafond en respirant à fond. Penchez-vous ensuite en avant, jusqu'à toucher le sol (ou à vous en rapprocher au maximum), sans plier les genoux, tout en vidant vos poumons. Recommencez l'exercice 3 fois. À la fin, secouez les mains, bras le long du corps, et les jambes, pieds joints, afin de lâcher la tension.

Déjeuner

- Salade d'endives + noisettes concassées + fines herbes + huile de colza
- *Maquereau en papillote** + épinards + riz basmati
- *Pomme au four**

C'est la Recette

MAQUEREAU EN PAPILLOTE

Enveloppez 1 maquereau vidé, nettoyé et arrosé du jus de ½ citron dans une feuille de papier sulfurisé. Enfournez à four chaud (180 °C, th. 6) pour 20 minutes de cuisson.

POMME AU FOUR

Lavez 1 golden, essuyez-la. Ôtez le cœur à l'aide d'un vide-pomme sans transpercer le fond. Déposez-la sur une assiette, saupoudrez de 2 pincées de cannelle. Placez l'assiette au micro-ondes à 750 W pendant 4 minutes.

La minute zen

Pause soupape. Une soudaine envie d'éliminer l'un de vos congénères ? Frottez énergiquement vos mains l'une contre l'autre jusqu'à ce qu'elles chauffent. Fermez les yeux et posez la paume de vos mains sur vos paupières. Respirez profondément et calmement le temps que vos paumes soient refroidies.

Collation

2 abricots secs + 2 figues
1 thé ou 1 chicorée (sans sucre)

La minute zen

Vue dégagée. Réfléchissez à un endroit, chez vous, qui pourrait être rangé en 5 minutes chrono (votre secrétaire, l'étagère à bibelots, le réfrigérateur...). Il ne s'agit pas de s'attarder sur chaque objet pour le nettoyer à fond, mais de faire place nette. Vite fait, bien fait, donner un coup de propre. Cette tâche mécanique va étonnamment vous aider à faire le vide quelques instants.

Dîner

- Salade mâche + tomate + oignon + vinaigrette olive/colza
- Lentilles + riz basmati + huile d'olive + curcuma
- *Banane bien dans sa peau**

C'est la Recette

BANANE BIEN DANS SA PEAU

Coupez une banane dans la longueur sans l'éplucher. Mettez-la sur une assiette et saupoudrez-la de 2 c. à c. de cacao. Placez au micro-ondes à 750 w pendant 1 à 2 minutes.

La minute zenaroma

C'est le moment de débrancher : rangez vos appareils (téléphone, télé, ordi, tablette), oubliez-les jusqu'à demain (un dernier coup d'œil sur les messages est autorisé avant d'éteindre la lumière). Récompensez-vous avec ce massage antistress. Appliquez 2 gouttes d'huile essentielle de marjolaine des jardins sur la face interne des poignets et sur le plexus solaire ½ heure avant de filer sous la couette.

Coucher

- *Tisane Morphée**

C'est la Recette

TISANE MORPHÉE

Jetez ½ c. à c. de tilleul et 1 tête de camomille dans 25 cl d'eau bouillante. Laissez infuser 10 minutes puis filtrez. Buvez tranquillement avant de vous coucher.

Mardi

Tout à l'enthousiasme de prendre votre stress en main, vous n'avez même pas rêvé de votre petit noir du matin. Vous savez, celui qui vous procure une montée d'euphorie. Mais qui, en sous-main, fabrique du cortisol, une hormone du stress qui irrite votre humeur... Si ? Vous n'avez rêvé que de ça ? Pas question de se stresser par frustration, accordez-vous un café ou deux (pas plus) dans la journée.

Bonjour !

Buvez un grand verre d'eau riche en magnésium (voir p. 47)

Petit-déjeuner

Thé vert (sans lait ni sucre)
½ pamplemousse
3 tranches de pain complet + beurre + jambon

CONSEIL MALIN

Double dose d'effet antistress : préparez votre thé avec une eau riche en magnésium et en calcium.

La minute zen

Pause doudou. Déposez une noix de crème nourrissante dans le creux d'une de vos mains. Frottez doucement vos mains l'une contre l'autre, comme pour les laver. Massez chaque doigt et insistez sur les paumes. Pensez à quelque chose d'apaisant pendant les 3 minutes de cet automassage, comme une plage que vous aimez, un jardin, une photo...

Déjeuner

- Carottes râpées + citron + huile de colza
- Blé à cuire + foies de volaille poêlés
- 1 yaourt nature + ¼ d'ananas frais

La minute zensport 

Pause du hérisson. Debout, les pieds joints, accroupissez-vous en vous asseyant sur vos talons. Arrondissez votre dos jusqu'à former une boule, en enserrant vos genoux dans vos bras. Tenez la position 15 secondes, puis dépliez-vous doucement, en « déroulant » votre colonne vertèbre après vertèbre pour finir tête haute, le corps comme tiré par le haut.

Collation

- 2 carrés de chocolat noir
- *Citronnade**

CITRONNADE

Pressez le jus d'un citron dans de l'eau en respectant le chiffre d'or de la citronnade : un tiers de jus de citron pour deux tiers d'eau.

La minute zenjeu

Sudoku. Complétez cette grille de façon à ce que chaque rangée, chaque colonne et chaque pavé de 3 x 3 contiennent les chiffres 1 à 9. Réfléchissez bien, il n'y a qu'une seule solution possible (que vous trouverez p. 176).

		6	7		2	3	1	
8				9			2	7
7		5			8		9	
		9	3	6		8		2
4	7			1				3
2	6				9			1
	9	7				1		
	8		9		1	4	3	5
3	1				6	2	7	9

La minute zenrespir

Pause haute tension. Comme hier, rangez vos appareils électroniques. Allongez-vous sur le dos, en étoile de mer (les bras et les jambes en V). Tout en inspirant profondément, contractez au maximum la totalité de votre corps, des doigts de pieds jusqu'aux muscles du visage pendant 5 secondes. Relâchez la tension en expirant à fond. Faites une pause si besoin, puis recommencez l'exercice 2 fois (oui, oui, 3 fois au total).

Dîner

- *Soupe de petits pois à la menthe**
- 2 œufs brouillés, purée de carotte au cumin + boulgour
- 1 yaourt nature + 1 compote sans sucre ajouté

Soupe de petits pois à la menthe

Plongez 250 g de petits pois surgelés dans 50 cl d'eau bouillante salée pendant 5 minutes. Versez-les dans le blender avec 5 feuilles de menthe et la moitié de l'eau de cuisson. Poivrez et consommez froid ou chaud selon la saison.

Coucher

Tisane Morphée (voir recette p. 126)

Mercredi

On ne vous lâche pas ! Et vous, ne vous lâchez pas non plus... Tenez bon et mangez bien. Nos recettes ont tout bon : des vitamines, du magnésium, des protéines, des herbes... Régalez-vous, c'est pour la bonne cause.

Bonjour !

Buvez un grand verre d'eau riche en magnésium (voir p. 47)

Petit-déjeuner

Thé vert (sans lait ni sucre)
*Toasts nordiques**

TOASTS NORDIQUES

Tartinez 2 petites tranches de pain de seigle toastées avec de la ricotta. Ajoutez ½ tranche de saumon fumé sur chaque tartine. Recouvrez avec quelques rondelles de concombre puis d'œuf dur. Parsemez d'aneth frais ciselé.

La minute zenrespir

Pause du lionceau. Mettez-vous à quatre pattes, respirez à fond, puis... rugissez ! Reprenez votre respiration et rugissez (hurlez, si vous ne savez pas rouler les « r ») à nouveau, jusqu'à vider complètement vos poumons en serrant le ventre. Recommencez 4 fois, sans précipitation.

Déjeuner

- Salade de germes soja + champignons de Paris + huile d'olive + vinaigre + raifort
- Aiguillettes de canard + haricots blancs (en boîte)
- *Salade d'orange**

C'est la Recette

SALADE ORANGE

Pelez et détaillez 1 orange en fines tranches. Saupoudrez de cannelle, arrosez de 1 c. à s. de fleur d'oranger et parsemez de quelques éclats de noix.

La minute zensport

Pause endorphines. Aujourd'hui, trouvez le moyen de monter au moins 4 étages à pied : métro, bureau, maison, grand magasin...

Collation

- 5 noix
- 1 petite poignée de raisins secs
- 1 thé vert

La minute zen 

Pause ego. Muni de quoi écrire, installez-vous à l'écart du bruit et de l'agitation. Puis, sans trop réfléchir, écrivez 5 phrases qui commencent par « Je veux ». Il ne s'agit pas de « régler vos comptes », mais plutôt de rêvasser en laissant venir des sensations. (Exemples : Je veux une maison où mes amis ont envie de venir spontanément ; Je veux apprendre une chose chaque jour...).

Dîner

- Poireaux vinaigrette
- 2 œufs mollets + épinards
- 2 tranches d'ananas

CONSEIL MALIN

Le poireau est le Monsieur Propre du système digestif, laissez-le faire son travail sans l'ensevelir sous la vinaigrette !

La minute zenaroma

Est-il besoin de vous rappeler vos objectifs e-detox ? Ou avez-vous spontanément remisé vos écrans de téléphone et autre tablette jusqu'à demain ? Mélangez 2 gouttes d'huile essentielle d'ylang-ylang dans 1 cuillère à dessert d'huile d'amande douce et appliquez le long de la colonne vertébrale.

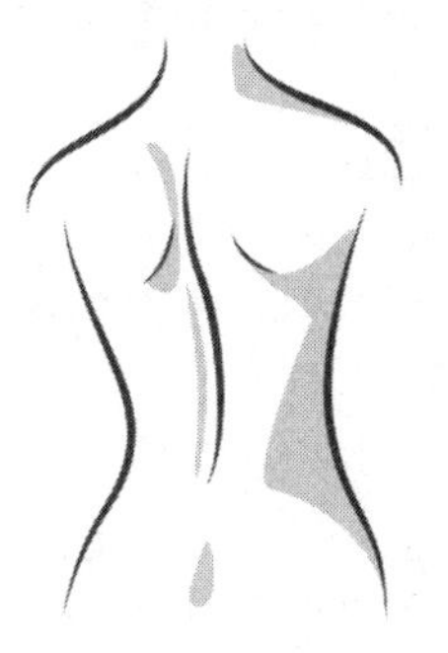

Coucher

- Tisane Morphée (voir recette p. 126)

Jeudi

Vous voyez, ça n'est pas si difficile de prendre soin de soi. Avant d'attaquer cette journée, faites un mini point zen : quelle huile essentielle vous a apporté la meilleure détente (marjolaine, ylang-ylang) ? Quel exercice (respiratoire ou physique) vous a le plus « aéré la tête » ? Une fois que vous les aurez identifiés, vous pourrez les appeler à la rescousse en cas d'attaque de stress.

Bonjour !

- Buvez un grand verre d'eau riche en magnésium (voir p. 47)

Petit-déjeuner

- Thé vert (sans sucre ni lait)
- 3 prunes
- 3 tranches de pain complet + 2 Carré Frais

CONSEIL MALIN

Si vous tenez vraiment à votre petit noir du matin, on vous l'a dit, c'est d'accord. Mais sans sucre ni lait !

La minute zenrespir (en voiture ou dans les transports)

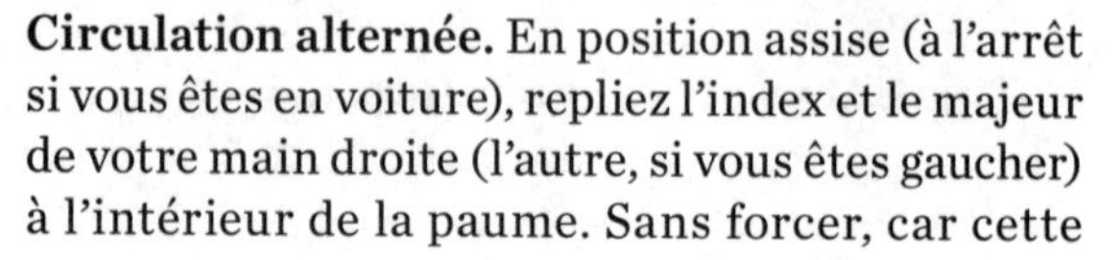

Circulation alternée. En position assise (à l'arrêt si vous êtes en voiture), repliez l'index et le majeur de votre main droite (l'autre, si vous êtes gaucher) à l'intérieur de la paume. Sans forcer, car cette position va juste vous permettre de boucher vos narines alternativement. Commencez par boucher une narine avec le pouce, respirez profondément (yeux fermés, c'est mieux), expirez à fond. Procédez à cette respiration/expiration 3 fois de suite avec la même narine. Bloquez ensuite l'autre narine, cette fois avec l'annulaire et inspirez/expirez à fond 3 fois, lentement.

Déjeuner

- Carottes râpées + citron + persil
- 1 filet de merlan + *purée de patate douce au gingembre**
- 2 boules de *sorbet minute à la pêche**

C'est la Recette

PURÉE DE PATATES DOUCES

Déposez 100 g de patates douces pelées et coupées en morceaux dans le panier du cuit-vapeur pour 30 minutes de cuisson. Faites revenir 5 minutes à feu doux, avec un filet d'huile d'olive, 1 petit oignon émincé et 1 gousse d'ail écrasée. Ajoutez les patates douces, ½ c. à c. de cannelle, du poivre et 30 cl de bouillon de volaille. Portez à ébullition et poursuivez la cuisson 15 minutes toujours à feu doux. Incorporez le jus de ½ citron vert, un petit morceau de gingembre râpé puis passez la préparation au presse-purée.

SORBET MINUTE À LA PÊCHE

Mixez rapidement 2 pêches surgelées avec le zeste de ½ citron bio et 1 c. à c. de miel d'acacia.

La minute zensport (au bureau)

Exercice lever de coude-genou croisé. Assis sur une chaise près du bord, pieds à plat au sol. En inspirant, levez les bras à la hauteur des épaules, les coudes formant un angle droit, les mains vers le haut et les paumes vers l'avant. Expirez tout en amenant votre genou gauche vers votre coude droit et en contractant le ventre. Gardez la position en bloquant la respiration pendant 3 secondes. Revenez à la position initiale en inspirant. Répétez le mouvement en changeant de côté. Faites une série de 10 de chaque côté.

Collation

1 grappe de raisin
*Infusion de cannelle**

C'est la Recette

INFUSION DE CANNELLE

Jetez 5 g d'écorce de cannelle dans 20 cl d'eau bouillante. Laissez infuser pendant 10 minutes et filtrez.

La minute e-détox

Réflexe e-détox. Oui, vous avez bien lu : ranger vos téléphone, tablette, ordi pour la nuit est en passe de devenir un réflexe. Un moment attendu, parce qu'il annonce que vous allez vous retrouver avec... vous-même.

La minute zenjeu

Devinettes. Trouvez les réponses à ces définitions. Méfiez-vous, elles sont plus malicieuses qu'il y paraît (voir la solution p. 176)

- Tube de rouge (en 14 lettres).

  ....

- Matière à réflexion (en 5 lettres).

  ....

- Devient inquiétante à partir de 39-40 (en 6 lettres).

  ....

- Pourri quand il est frais (en 3 lettres).

  ....

- Plus important quand il est sans le sou (en 4 lettres)

  ....

- On le jette quand il est mauvais (en 4 lettres)

  ....

- Fait grossir (en 4 lettres)

  ....

Dîner

*Velouté d'asperges aux courgettes**

8 sushis + wasabi

*Poire au vin rouge**

VELOUTÉ D'ASPERGES AUX COURGETTES

Dans le cuit-vapeur, faites cuire 100 g d'asperges vertes et 1 courgette détaillée en morceaux pendant 10 minutes. Chauffez 15 cl de lait de soja, versez-le dans le blender avec les légumes, ajoutez ½ c. à c. de cumin en poudre et mixez jusqu'à obtention d'une consistance homogène.

C'est la Recette

POIRE AU VIN ROUGE

Portez 25 cl de vin rouge à ébullition avec ½ c. à c. de cannelle. Plongez-y une poire pelée, couvrez et laissez pocher 10 minutes à feu doux.

La minute zenréflexo

Détendez-vous, respirez profondément. Avec la pulpe du pouce, massez en douceur les zones réflexes Plexus solaire et Surrénales, sans déborder, pendant 2 minutes.

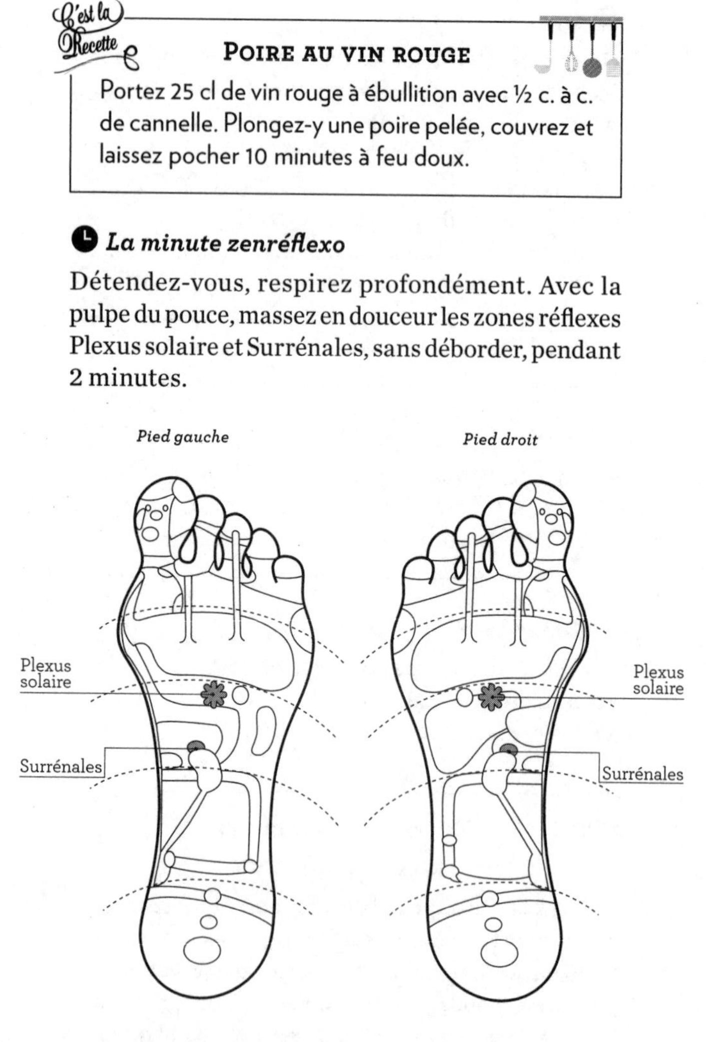

Coucher

Tisane Morphée (voir recette p. 126)

Vendredi

Si votre tête ne récolte pas encore les fruits de notre nouvelle vie, soyez sûr que votre organisme, lui, apprécie le changement. Pour fêter ça, accordez-vous un verre de vin (rouge ou noir). C'est la bonne nouvelle du jour : le bordeaux, par exemple, est une bonne source de resvératrol, un anti-inflammatoire naturel aux vertus antistress (et anti-âge !).

Bonjour !

Buvez un grand verre d'eau riche en magnésium (voir p. 47)

Petit-déjeuner

Thé vert (sans sucre ni lait)

Œuf coque, mouillettes pain aux céréales + beurre frais

1 bol de fraises

CONSEIL MALIN

Passez les fraises rapidement sous l'eau avant de les équeuter. D'une manière générale, ne laissez jamais tremper les fruits et légumes dans l'eau, ils y perdent leurs précieux minéraux.

La minute zenrespir 

Pause du lémurien. Debout, dans l'ascenseur, le bus, le métro..., trouvez une prise en hauteur. Saisissez-la d'une main et laissez-vous « pendre » de façon à étirer votre bras tout en respirant lentement et à fond. Changez de bras et répétez l'opération.

Déjeuner

- Radis à la croque au poivre
- Tournedos + tagliatelles complètes à la sauce tomate
- Banane + cannelle + amandes

La minute zen

Pause « To do list ». Établir des listes de « choses à faire » est un bon moyen d'anticiper les situations stressantes. Mais quand on a reporté 5 fois de suite la même « chose à faire » sans parvenir à s'y attaquer, on est vite rattrapé par le stress. Ici, il s'agit de se fixer trois objectifs au maximum pour la journée du lendemain. Ils doivent être réalistes par rapport à votre emploi du temps et suffisamment précis pour ne pas vous décourager. (Exemple : au lieu de « Demain, je fais un grand ménage à la maison », préférez « Demain, je trie les vieux magazines qui s'empilent dans le salon/bureau... »).

Collation

- 2 carrés de chocolat
- *Thé au safran* (sans sucre)

CONSEIL MALIN

Ne vous privez pas (trop) de chocolat noir, il a un effet apaisant et relaxant sur le système neuromusculaire.

C'est la Recette

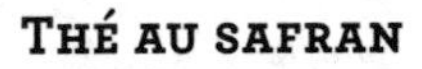

THÉ AU SAFRAN

Déposez dans la théière 1 c. à c. de thé Gunpowder et 2 pistils de safran. Versez par-dessus 25 cl d'eau frémissante et laissez infuser 7 minutes. Le safran est antistress, baisse la pression artérielle, facilite la digestion et soulage le foie. Pas de pistils de safran ? Rabattez-vous sur un thé au jasmin.

La minute zenjeu

À vos crayons ! Reproduisez puis coloriez !

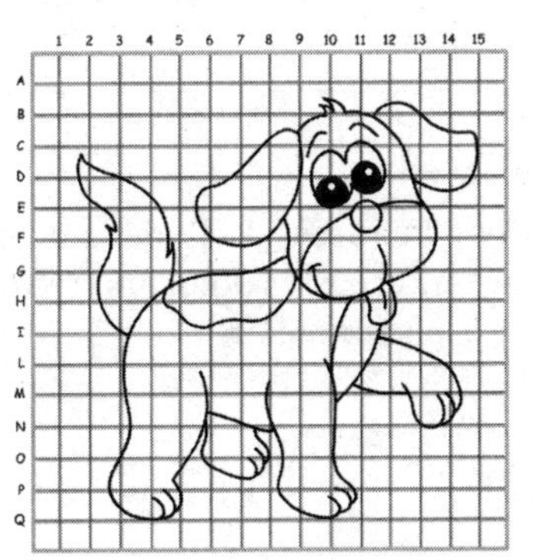

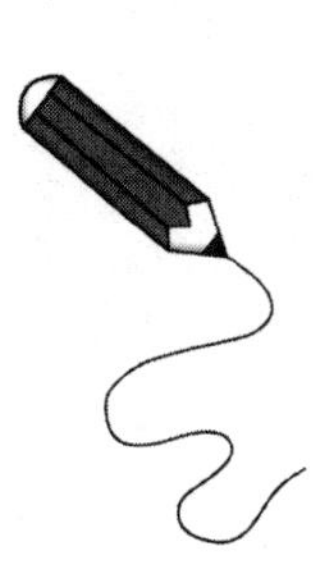

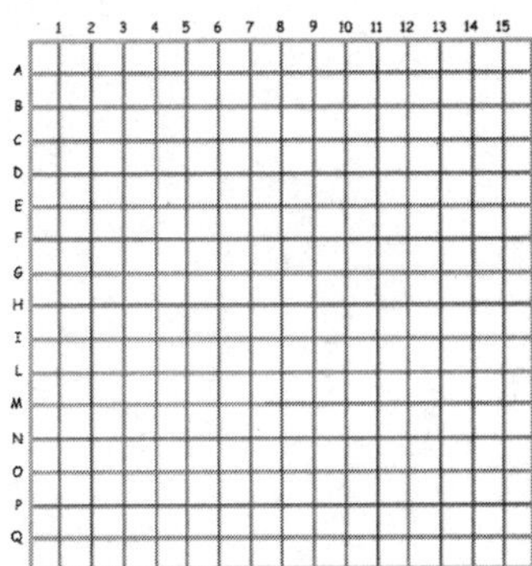

Dîner

- *Pâtes aux courgettes**
- 1 tranche de pastèque (ou 1 pomme)

C'est la Recette

PÂTES AUX COURGETTES

Faites cuire 100 g de penne semi-complètes selon les indications de l'emballage. Faites revenir ½ échalote émincée dans un filet d'huile de colza puis saisissez 1 courgette coupée en fines lamelles à l'économe pendant 3 minutes. Poivrez. Répartissez 1 petite poignée de roquette puis les courgettes sur les pâtes cuites al dente.

La minute zenaroma

Appliquez 2 gouttes d'huile essentielle de camomille romaine sur la face interne des poignets (respirez profondément) et le plexus solaire.

Coucher

- Tisane Morphée (voir recette p. 126)

Samedi

On aimerait bien être petite souris pour voir comment vous avez géré votre stress cette semaine... Et si vous n'êtes pas fier de vous, nous, si ! L'efficacité de ce programme sera bien sûr à la mesure de votre assiduité, mais à chacun son rythme !

Bonjour !

- Buvez un grand verre d'eau riche en magnésium (voir p. 47)

Petit-déjeuner

- Thé vert (sans sucre ni lait)
- ½ pamplemousse
- 3 tranches de pain complet + beurre + jambon blanc enrichi en oméga 3

La minute zenrespir

Pause du chien mouillé. Prenez une inspiration profonde, puis expirez l'air à fond, en secouant votre tête, bouche totalement détendue, comme un chien qui s'ébroue en sortant de l'eau. Refaites l'exercice 3 fois afin de libérer les tensions.

Collation

- *Green smoothie no stress**

Green smoothie no stress

Prélevez la chair de ½ avocat. Rincez 1 poignée de cresson (ou de mâche), pressez ½ citron. Mettez tous les ingrédients dans le blender avec 1 yaourt à la grecque et 3 glaçons, puis mixez jusqu'à obtention d'une consistance lisse. (Le cresson se trouve en sachet.)

Déjeuner

- Salade de lentilles + radis roses en rondelles + 1 c. à c. de sauce soja + 1 c. à s. d'huile d'olive + 1 petite échalote émincée
- Plateau de fruits de mer
- *Café frappé**

CONSEIL MALIN

Insistez sur les bulots, gorgés de magnésium.

Café frappé

Dans le blender, versez une tasse de café serré, 1 c. à c. de miel et un nuage de lait demi-écrémé. Ajoutez 3 glaçons et mixez.

La minute zensport (au bureau)

Exercice lever de genoux. Assis sur le bord d'une chaise pieds à plat au sol. Saisissez les bords de la chaise au niveau de vos fesses. Inspirez profondément puis amenez les genoux vers la poitrine en expirant à fond. Vous pouvez vous incliner en arrière si besoin, mais avec le dos bien droit. Gardez la position en bloquant la respiration pendant 3 secondes. Revenez à la position initiale en inspirant. Faites une série de 10.

Collation

1 poignée de noix
1 infusion zen (sans sucre, voir recette p. 123)

CONSEIL MALIN

Les noix renferment tellement d'oméga 3 qu'en croquer 5 par jour couvre quasiment nos besoins journaliers. Un puissant allié antistress et antidépression à mettre dans sa poche (et dans sa bouche !).

La minute zen

Pause méthodo. Il arrive aussi qu'on soit détendu ! Profitez d'un de ces moments furtifs pour réfléchir à une méthode qui vous permette d'affronter un problème. Prenez en exemple une difficulté de votre vie personnelle ou professionnelle qui n'est pas majeure, mais qui vous « turlupine » souvent. Vous allez maintenant appliquer 4 étapes à ce problème : 1. Poser le problème (c'est quoi le problème ? est-il récurrent ? est-il peu ou très « douloureux », etc.). 2. Inventorier les solutions (celles qui s'imposent, mais aussi tout ce qui vous passe par la tête). 3. Choisir la meilleure solution (avantages, inconvénients, risques de chacune en leur attribuant une note sur 10). 4. Décider de passer à l'action (prévoir le bon moment).

Dîner

- 1 tranche de saumon fumé
- *Quinoa aux olives** + salade verte
- 1 fromage blanc + framboises

C'est la Recette

QUINOA AUX OLIVES

Faites revenir 1 petit oignon et 2 carottes émincés dans un filet d'huile d'olive pendant 5 minutes. Ajoutez 80 g de quinoa et versez le double de son volume d'eau. Couvrez et faites cuire pendant 15 minutes à feu doux. Puis laissez gonfler 5 minutes hors du feu. Parsemez de 5 branches de persil ciselé et d'une dizaine d'olives noires dénoyautées.

La minute zenaroma

Massez votre plexus solaire avec 2 gouttes de marjolaine des jardins. Effectuez des gestes lents et calmes, en respirant profondément.

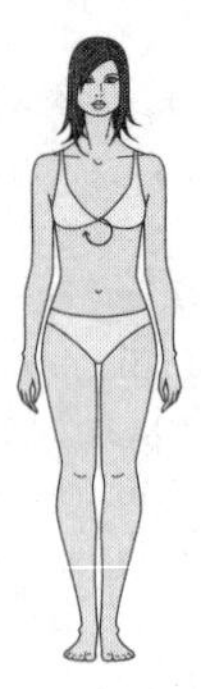

Coucher

- Tisane Morphée (voir recette p. 126)

Dimanche

Nouvelle mission, aujourd'hui : introduire la marche. Idéalement, le tarif est de 20 minutes consécutives, le temps nécessaire à l'organisme pour s'oxygéner. Un détour par le marché ? une expo ? la laverie ? Trois fois le tour du pâté de maisons ? À vous de choisir.

Bonjour !

- Buvez un grand verre d'eau riche en magnésium (voir p. 47)

Petit-déjeuner

- Thé vert (sans sucre ni lait)
- 2 tranches de pain aux céréales + 1 c. à s. de purée d'amandes + 1 c. à s. de miel de lavande
- 1 orange pressée

CONSEIL MALIN

Le miel de lavande est antistress, tout comme celui d'aubépine ou de fleur d'oranger. Salade de fruits, fromage blanc… n'hésitez pas à le mettre à toutes les sauces.

La minute zenrelax 

Pause zapette. Un événement stressant se profile, ou refuse de quitter vos pensées (la reprise du travail demain…) ? Dégainez votre télécommande zen ! Allongé, fermez les yeux et imaginez un écran géant. Projetez-y le film de l'événement qui vous préoccupe sans vous laisser entraîner par les détails. Avec votre zapette mentale, changez les couleurs, rehaussez la lumière, modifiez la taille de l'image. Même gommage de la bande son : diffusez une musique qui a le don de vous faire du bien. Réduisez alors la taille de l'image jusqu'à ce qu'elle devienne un point. Imaginez maintenant que vous saisissez ce point avec votre télécommande et chassez-le, le plus loin possible de l'écran.

Collation

Green smoothie no stress (voir recette p. 144)

La minute zensport

Allez hop ! Enfilez des chaussures confortables et en route pour une marche de 20 minutes ! Ne forcez pas l'allure, demain vous aurez spontanément envie d'aller un plus vite (plus loin ?).

Déjeuner

- Tomates à la feta
- *Truite en papillote** + brocoli + riz complet
- *Salade de melon**

C'est la Recette

TRUITE EN PAPILLOTE

Déposez une truite vidée et lavée dans une feuille de papier sulfurisé ou dans une papillote en silicone. Répartissez les rondelles de ½ citron sur le poisson, du sel, du poivre et une pincée de thym. Fermez la papillote et enfournez pour 20 minutes à four chaud.

C'est la Recette

SALADE DE MELON

Faites décongeler 5 c. à s. de billes de melon surgelées (frais, en saison). Arrosez du jus de ½ citron vert. Parsemez de feuilles de menthe ciselées.

La minute zen

Pause énergie. Le stress peut se traduire par une fatigue aussi soudaine que profonde. Cette « pause » va redynamiser votre corps et le mettre dans une disposition positive. Debout, assis ou couché, c'est vous qui choisissez la position. Fermez votre poing gauche et, tout en gardant le poignet souple, donnez-vous des petits coups de poings en commençant par la cheville gauche et en remontant jusqu'à l'épaule. Passez au côté droit, toujours de bas en haut.

Collation

1 pomme
1 infusion zen (voir recette p. 123)

La minute zenart

À vos crayons de couleur ! (Téléchargez votre coloriage en format A4, voir p. 192.)

Dîner

- Salade de mâche aux noix + huile de noix
- Omelette + épinards + d'olive + muscade
- *Mangue poêlée**

C'est la Recette

MANGUE POÊLÉE

Faites dorer ½ mangue bien mûre et détaillée en cubes dans une poêle antiadhésive. Arrosez du jus de ½ citron vert et parsemez de basilic ciselé.

La minute zenréflexo

Détendez-vous, respirez profondément. Avec la pulpe du pouce, massez en douceur les zones réflexes Plexus solaire et Surrénales, sans déborder, pendant 2 minutes.

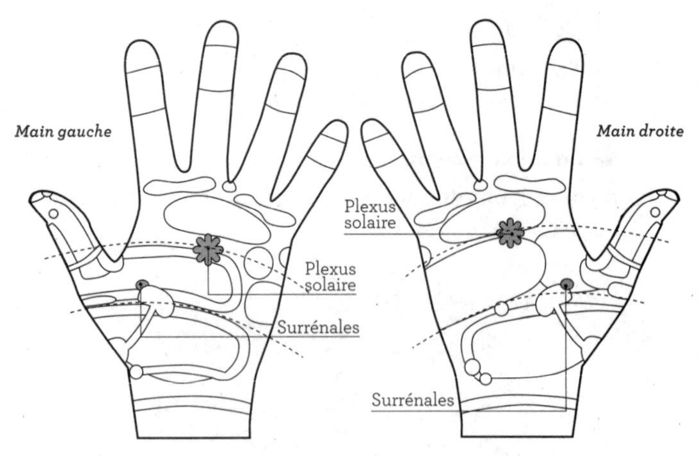

Coucher

- Tisane Morphée (voir recette p. 126)

SEMAINE 2

Lundi

Félicitations ! vous relevez le défi et poursuivez en deuxième semaine. Peut-être n'êtes-vous déjà plus cette boule d'angoisse hérissée d'agacement permanent aux sourcils froncés ? Alors en route pour une nouvelle moisson d'astuces à mettre dans votre besace antistress ! Cette semaine, on ne vous rappelle plus à l'ordre pour ce qui est acquis : l'e-détox et la marche quotidienne, c'est dans la poche (n'est-ce pas ?).

Bonjour !

Buvez un grand verre d'eau riche en magnésium (voir p. 47)

Petit-déjeuner

Thé vert (sans sucre ni lait)
1 tranche de saumon fumé
2 tranches de pain aux céréales
1 brugnon ou 2 kiwis

La minute zenrespir

Expiration longue : le chasse-bourrichon. Allongez-vous sur le dos, pliez vos jambes de façon à rapprocher vos talons de vos fesses. Inspirez naturellement pendant 4 secondes (comptez !) en gonflant le ventre. Bloquez votre souffle pendant 2 secondes. Expirez profondément pendant 8 secondes. Videz vos poumons au maximum, au point de contracter vos abdos. Tenez 2 secondes en fin d'expiration, puis reprenez l'exercice sur l'inspiration naturelle durant 4 secondes... À répéter sans modération.

Déjeuner

- *Salade avocat pamplemousse**
- Lentilles + pavé de saumon vapeur
- Salade d'oranges à la menthe fraîche

C'est la Recette

SALADE AVOCAT PAMPLEMOUSSE

Prélevez la chair de ½ avocat. Pelez à vif ½ pamplemousse, séparez les segments. Arrosez d'un filet d'huile d'olive et parsemez d'aneth ciselé.

La minute zensport (assis, au bureau)

Déstress dans un fauteuil. Assis à votre bureau, ou attablé, épaules tombantes, faites des cercles très lents avec la tête (pour ne pas forcer sur les cervicales) pendant 1 minute environ. Secouez les épaules pour les décontracter. Ensuite, toujours assis, couchez le haut du corps sur le bureau en étirant vos bras au maximum en avant, tout en bandant vos muscles. Relâchez. Faites l'exercice complet 2 fois.

Collation

- 1 pomme
- 1 thé au safran (voir recette p. 141)

La minute zen 

Pause lâcher-prise. Muni de quoi écrire, faites une liste de 5 faits qui vous rendent triste, vous énervent ou vous stressent, mais contre lesquels vous ne pouvez rien changer. (Exemple : Mon chat est mort, il me manque...). En dessous de chacune des situations, écrivez les 3 phrases suivantes : 1. Je me sens triste d'avoir perdu mon chat. 2. J'accepte de me sentir triste d'avoir perdu mon chat. 3. J'accepte d'avoir perdu mon chat.

Dîner

- *Salade de poireaux crus**
- Riz basmati + omelette au curcuma
- Fromage blanc + 1 banane en rondelles

C'est la Recette

SALADE DE POIREAUX CRUS

Lavez soigneusement 2 blancs de poireaux primeurs et émincez-les en fines rondelles. Arrosez-les du jus de ½ citron. Dans un bol, émulsionnez ½ yaourt au bifidus, 1 c. à c. de moutarde, du sel et du poivre. Arrosez la salade de cette sauce.

La minute zen

Coup de frais. Une montée de stress mâtiné de colère vous cueille. Remplissez le lavabo (ou l'évier) d'eau très froide (au besoin, jetez-y une demi-douzaine de glaçons). Trempez vos coudes dans l'eau en inspirant et expirant lentement, sans saccades. Profitez de ce bain zénifiant pendant 2 à 3 minutes.

Coucher

Tisane Morphée (voir recette p. 126)

Mardi

Aujourd'hui, nous avons prévu de la pluie. Alors nous avons dopé votre assiette en fer et en vitamines, deux sources de bonne humeur... Si la météo nous fait mentir, profitez-en pour tester la marche rapide ! Marchez tranquillement les 3 premières minutes, puis accélérez jusqu'à parcourir 1,5 à 2 km en 15 minutes (6 à 8 km/h). Respirez, ça va bien se passer...

Bonjour !

Buvez un grand verre d'eau riche en magnésium (voir p. 47)

Petit-déjeuner

Thé vert (sans lait ni sucre)
2 toasts nordiques (voir recette p. 131)

La minute zenrespir

Méditation express. Concentrez-vous sur votre respiration (pourquoi pas sur le trajet qui vous mène aux transports en commun ?). Inspirez en comptant jusqu'à 4, expirez sur le même rythme. Lorsqu'une pensée survient, laissez-la passer sans chercher à la retenir ni à la chasser. Vous « accusez réception » de la pensée et hop ! vous la laissez filer. Reconnectez-vous alors à votre souffle. Inspirez en comptant jusqu'à 4, expirez 2, 3, 4...

CONSEIL MALIN

Prenez 10 minutes pour préparer votre dessert de ce soir, encore meilleur quand il est dégusté bien frais.

Crème au chocolat

Cassez 50 g de chocolat noir pâtissier et faites-le fondre au bain-marie. Mélangez 15 g de Maïzena et 15 cl de lait de soja. Incorporez ce mélange au chocolat fondu à feu doux, en remuant sans cesse jusqu'à ébullition. Placez au réfrigérateur (sans y tremper un doigt !)

Déjeuner

- *Carottes à l'orange**
- Boudin noir + purée de pomme de terre + purée de pomme fruit
- *Salade de fruits frais**

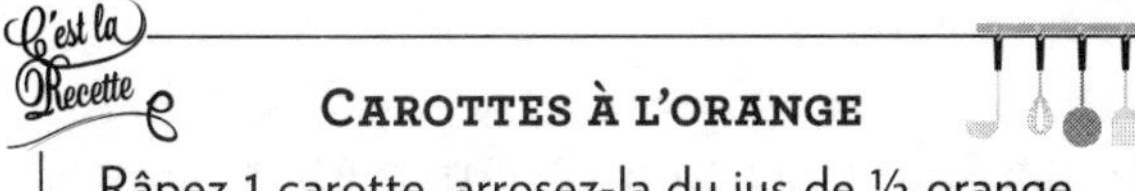

Carottes à l'orange

Râpez 1 carotte, arrosez-la du jus de ½ orange, ajoutez 1 c. à s. d'huile d'olive. Assaisonnez à votre goût et parsemez d'un zeste de citron râpé.

Salade de fruits frais

Pelez et coupez en dés ½ poire, 1 clémentine, ½ pomme. Arrosez de 1 c. à s. d'eau de fleur d'oranger et laissez mariner 30 minutes au réfrigérateur, le temps du déjeuner.

La minute zensport

Pause stretching. Marcher sous la pluie n'est décidément pas votre truc ? On serait tenté de vous dire : « forcez-vous » ! Mais ces quelques étirements pourront (exceptionnellement) remplacer cette activité. Assis, joignez vos mains, tendez vos bras devant vous. Remontez vos bras au-dessus de votre tête, puis forcez vers l'arrière, de façon à étirer le dos. Dans cette position, inclinez le buste vers la gauche, puis vers la droite pour étirer la taille. Refaites l'exercice 3 fois de suite en respirant calmement.

Collation

1 grappe de raisin
1 infusion de cannelle (voir recette p. 136)

La minute zenjeu

Filles perdues. Trouvez les 14 prénoms féminins perdus dans cette grille de lettres. Allez, on vous en dévoile un dans la première colonne : eh oui, ils peuvent aussi s'inscrire de bas en haut... (voir solution p. 177)

E	N	Y	P	S	Y	A	J	A	J
L	C	O	Q	N	C	T	L	A	M
L	O	E	N	C	C	O	D	F	A
I	K	A	N	I	L	E	B	I	R
M	F	D	Q	I	N	N	V	O	G
A	B	F	T	R	D	N	V	N	O
C	W	A	E	I	R	A	M	A	T
A	R	A	L	C	J	E	N	Y	O
C	L	A	U	R	A	J	J	I	V
B	U	U	B	E	S	I	U	O	L

Dîner

- Salade de concombre
- Poêlée de riz complet + haricots rouges au curcuma
- *Crème au chocolat**

La minute zenaroma

Versez 2 gouttes d'huile essentielle de lavande vraie sur un mouchoir en papier (ou un coin d'oreiller ou de pyjama). Posé sur votre table de nuit, il veillera sur un endormissement serein.

Coucher

- Tisane Morphée (voir recette p. 126)

Mercredi

Au menu, aujourd'hui : des pâtes, du chocolat et un gros caprice. C'est normal, le mercredi est le jour des enfants. Vous pouvez d'ailleurs partager votre programme avec vos chères têtes blondes pour une journée de déstress général.

Bonjour !

- Buvez un grand verre d'eau riche en magnésium (voir p. 47)

Petit-déjeuner

- Thé vert (sans sucre ni lait)
- 1 œuf dur
- 2 tranches de pain complet
- 1 pêche

La minute zenrespir

Pause régressive. Debout, les muscles détendus, commencez par taper des pieds comme un enfant qui fait un caprice. Mettez-y de l'énergie, trépignez. Continuez en vous roulant sur le sol. Agitez les jambes et les bras. Tournez-vous sur le ventre, tapez des pieds, puis sur le dos à nouveau. Relâchez vos muscles et respirez tranquillement à fond pendant 30 secondes.

Déjeuner

- *Gaspacho**
- Pâtes complètes + steak haché à 5 % de MG + haricots verts
- 1 yaourt nature + 1 grappe de raisin

C'est la Recette

Gaspacho

Versez dans le mixeur 1 tomate coupée en quatre, 2 oignons nouveaux, ½ poivron épépiné, ¼ de concombre, 1 petite gousse d'ail et mixez le tout. Salez, poivrez et ajoutez quelques gouttes de Tabasco. Parsemez de basilic ciselé et dégustez bien frais.

La minute zensport

Pause du saule pleureur. Debout, écartez vos pieds de la largeur de votre bassin et gardez-les parallèles. Prenez une bonne inspiration, levez les bras au-dessus de la tête et étirez-vous. En expirant, penchez-vous en avant et laissez vos bras pendre vers le sol. Fléchissez un peu vos genoux pour éviter de trop étirer l'arrière des jambes. Veillez à ce que vos genoux restent bien parallèles et ne s'entrechoquent pas. Pour détendre le haut du corps, tenez vos coudes. Cela « leste » le buste et permet d'aller plus loin dans l'inclinaison en avant. Respirez profondément et régulièrement. Pour remonter, lâchez vos bras et déroulez lentement votre colonne. Répétez l'exercice au moins deux fois. Essayez de maintenir la posture un peu plus longtemps à chaque fois.

Collation

- 2 carrés de chocolat
- 1 infusion zen (voir recette p. 123)

◔ *La minute zenart*

À vos crayons de couleur. Ici, on vous mâche le travail, mais c'est le moment idéal pour vous adonner à un passe-temps « zen » : tricoter une couverture pour le nouveau-né de votre voisine, broder un canevas, faire des mots-croisés... Une partie de Candy Crush sur votre mobile ? C'est non !

Dîner

- *Velouté de champignon**
- Couscous végétarien (semoule complète + carotte + navet + courgette + pois chiches + raisins secs)
- 1 fromage blanc + compote sans sucre ajouté

C'est la Recette

VELOUTÉ DE CHAMPIGNON

Faites revenir 1 petit oignon dans un filet d'huile d'olive. Ajoutez une petite boîte de champignons de Paris égouttés et recouvrez de bouillon de légumes. Laissez cuire 10 minutes. Mixez et parsemez de graines de sésame.

La minute zenaroma

Diluez 6 gouttes d'huile essentielle de lavande vraie dans 1 cuillère à dessert de base pour bain. Faites couler un bain (température plutôt tiède, pas trop chaude), versez dans l'eau le mélange ; plongez dans la baignoire pour 20 minutes. Ne vous rincez pas : séchez-vous avant d'aller vous coucher directement.

Coucher

- Tisane Morphée (voir recette p. 126)

Jeudi

Nous sommes bien d'accord : vous avez prévu de caser une vingtaine de minutes de marche ou de sport aujourd'hui, en plus du programme proposé ? Car, au risque de vous stresser, nous vous rappelons que l'exercice d'une activité physique est une immunisation contre le stress ! Un peu de marche et une bonne eau riche en magnésium, c'est l'assurance de ne pas finir la journée sur les rotules, le ventre noué.

Bonjour !

- Buvez un grand verre d'eau riche en magnésium (voir p. 47)

Petit-déjeuner

- Thé vert (sans sucre ni lait)
- 2 tranches de pain aux céréales + 1 c. à s. de purée d'amandes
- 1 tranche de jambon blanc enrichi en oméga 3
- 1 pomme

La minute zenrespir

Pause yogi. Debout, les pieds joints, bras le long du corps, inspirez profondément en gonflant le ventre ; rentrez-le sur l'expiration. Bloquez votre souffle trois secondes, puis recommencez le cycle inspiration – expiration – blocage dix fois de suite.

Déjeuner

- *Taboulé**
- Tartare de bœuf + roquette
- Compote de pomme sans sucre ajouté + cannelle

TABOULÉ

Mélangez 50 g de boulgour cru avec 100 g de pulpe de tomates. Ajoutez 2 petits oignons nouveaux émincés, le jus de ½ citron, 1 c. à s. d'huile d'olive et 5 branches de menthe ciselée. Placez 3 heures au réfrigérateur.

La minute zensport

Pause Cro-Magnon. Debout, légèrement penché en avant, les bras ballants, les jambes fléchies, balancez-vous d'un pied sur l'autre lourdement et lentement, sans tension dans les bras ni la nuque. Faites ainsi le Cro-Magnon pendant 3 minutes, en vous déplaçant lentement dans la pièce (ou la grotte, si vous avez de l'imagination).

Collation

- 1 banane
- 1 thé vert

La minute zenjeu

Points à relier.

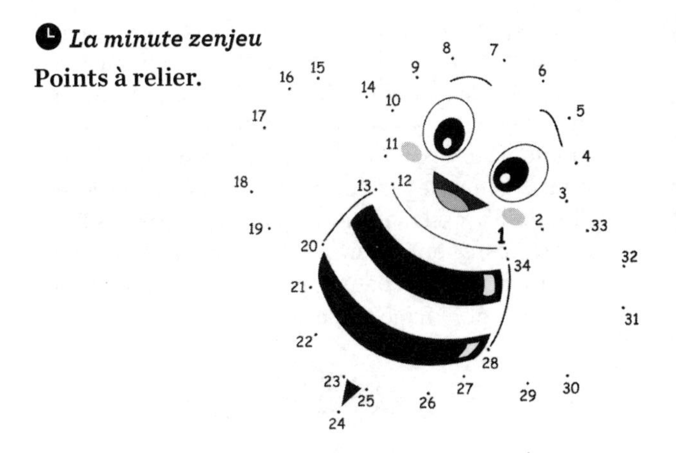

Dîner

- *Soupe poireaux pomme de terre**
- Omelette aux fines herbes, salade de cresson + ail + huile d'olive
- Compote de poire sans sucre ajouté

C'est la Recette

SOUPE POIREAUX POMME DE TERRE

Détaillez 1 poireau et 1 pomme de terre en fines rondelles. Faites infuser un sachet de bouillon de volaille (bien mieux que le bouillon cube car sans sel et sans gras) dans 30 cl d'eau bouillante. Jetez-y les légumes et laissez cuire 10 minutes. Mixez et parsemez de coriandre ciselée.

Coucher

- Tisane Morphée (voir recette p. 47)

La minute zenrelax

S'ouvrir les bras de Morphée. Allongé dans votre lit, lâchez les muscles de votre visage : détendez vos sourcils, paupières, mâchoires... Pensez à un paysage neutre, que vous contemplez, sans chercher à mettre un nom sur les éléments qui le composent. Étirez tous vos muscles à fond, puis relâchez-les peu à peu. Tentez d'avoir la sensation que vos jambes, vos bras, votre buste s'enfoncent dans le matelas. Dans cette position de « lourdeur », respirez doucement tout en gardant l'image du paysage neutre...

Vendredi

Vous commencez à maîtriser les gestes antistress et les aliments qui combattent vos tensions. Ce dernier point est important, car le phénomène du stress est intimement lié au système immunitaire. Sachant que les plus grands organes de votre système immunitaire sont vos intestins, il se révèle indispensable de soigner sa « tuyauterie »... La cannelle, au menu aujourd'hui, est une star de la lutte contre le surmenage, la dépression et les mauvaises digestions. Encore une occasion de se faire du bien en régalant ses papilles.

Bonjour !

- Buvez un grand verre d'eau riche en magnésium (voir p. 47)

Petit-déjeuner

- Thé vert (sans sucre ni lait)
- 1 œuf coque + mouillettes pain aux céréales + beurre frais
- 1 yaourt nature
- 1 orange en tranches saupoudrée de cannelle

La minute zenrespir 

Opération oxygénation. Évadez-vous une vingtaine de minutes du stress du bureau ou du confinement à la maison. Un parc ou un jardin à proximité ? Foncez ! Et s'il abrite une pièce d'eau, ou une fontaine, c'est encore mieux : promenez-vous autour pour profiter des ions négatifs, super-relaxants. Les plus chanceux iront marcher dans le sable, ou dans l'eau.

Déjeuner

- *Salade de radis noir**
- Lasagnes aux épinards et au saumon + salade verte
- 2 clémentines

C'est la Recette

SALADE DE RADIS NOIR

Pelez et râpez ¼ de radis noir. Dans un petit bol, mélangez ½ c. à c. de moutarde, le jus de ½ citron et 2 c. à s. d'huile d'olive. Arrosez les radis de la vinaigrette, parsemez de graines germées et dégustez bien frais.

L'e-minute zen

Pause e-méditation. Testez une application pour téléphone mobile dédiée à la méditation. Par exemple, avec Petit Bambou (http://bit.ly/1ewflUH à saisir dans la barre d'adresse, pas dans la fenêtre de requête), ou avec un spécialiste français (http://bit.ly/1J5GgSx), si vous possédez un appareil Apple. Elles permettent de se ménager des pauses médiation sur mesure.

Collation

- 1 poignée de fruits secs
- 1 infusion zen (voir recette p. 123)

La minute zen

Pause footballe. Procurez-vous une balle de tennis ou de golf (ou autre, mais pas molle). Pieds nus, assis, placez la balle sous votre pied droit. Faites-la rouler, en vous appliquant, le long de la plante du pied, depuis la pointe des orteils jusqu'aux talons. Tranquillement, pendant 2 minutes. Passez au pied gauche : même traitement.

Dîner

- Salade de concombre
- 1 filet de cabillaud + épinards + riz basmati + muscade râpée
- *Verrine de mangue à la cannelle**

VERRINE DE MANGUE À LA CANNELLE

Coupez ½ mangue en petits dés, arrosez-les du jus de ½ citron vert et saupoudrez de cannelle. Placez 1 heure au frais.

La minute zenaroma

Versez 2 gouttes d'huile essentielle de lavande vraie sur le revers de la taie d'oreiller pour favoriser un sommeil rapide.

Coucher

Tisane Morphée (voir recette p. 126)

Samedi

On vous a concocté un cocktail qui mêle défoulement, concentration et menus riches en antioxydants naturels et oméga 3. De quoi mener la vie dure au vieillissement de vos cellules et poursuivre votre chasse au stress. Si votre emploi du temps ne se prête pas à ce régime, n'hésitez pas à vous faire un programme bien à vous, en empruntant à d'autres journées types des activités plus appropriées.

Bonjour !

- Buvez un grand verre d'eau riche en magnésium (voir p. 47)

Petit-déjeuner

- Thé vert (sans sucre ni lait)
- 1 tranche de saumon fumé
- 2 tranches de pain aux céréales
- 2 kiwis

Collation

- Green smoothie

C'est la Recette

Green smoothie Pépin la bulle

Mettez dans le blender 1 poire pelée et épépinée, 1 poignée de pousses d'épinards, ½ c. à c. de cannelle, le jus de ½ orange. Mixez jusqu'à obtention d'une consistance lisse. Ajoutez 10 cl de Salvetat et mélangez à la cuillère.

La minute zenrespir 

Défouloir. Tranquille, personne à la maison… Respectez une minute de… bruit. Envoyez la musique (ou pas) et chantez, hurlez, criez à tue-tête vos tubes préférés. Défoulez-vous ainsi pendant 3 minutes. Assez chanté ? Dansez, maintenant !

Déjeuner

- *Salade de poireaux crus**
- Filets de hareng + pommes de terre à l'huile
- Fromage blanc + framboises

C'est la Recette

SALADE DE POIREAUX CRUS

Lavez soigneusement 2 blancs de poireaux primeurs et émincez-les en fines rondelles. Arrosez-les du jus de ½ citron. Dans un bol, émulsionnez ½ yaourt au bifidus, 1 c. à c. de moutarde, du sel et du poivre. Arrosez la salade de cette sauce.

La minute zensport

Pause du velociraptor. Pieds nus ou en chaussettes, marchez à grandes enjambées sur la pointe des pieds, en levant haut les genoux, sans jamais poser les talons au sol. Parcourez ainsi votre salon (mieux, votre jardin !) 3 minutes. Dos bien droit, pieds légèrement écartés et parallèles aux épaules, placez vos mains sur vos reins, doigts dirigés vers le sol. Rapprochez doucement vos coudes l'un de l'autre jusqu'à ce que ça tire. Maintenez la position 1 minute, puis relâchez. Reprenez votre marche de velociraptor 3 minutes. À la fin de l'exercice, détendez vos jambes, debout, en les secouant l'une après l'autre. Recommencez, vous finirez peut-être par obtenir un rôle dans la suite de Jurassic Park !

Collation

1 petite poignée d'amandes (non salées)
1 thé au safran (voir recette p. 141)

La minute zenjeu

Mots enfouis. Trouvez les 15 mots qui se cachent dans cette grille de lettres. Un indice : dansez maintenant ! (solution p. 177)

C	B	W	R	V	N	L	C	C	D	F	Y	X	C	C	I	I	O	Y	M
C	P	L	C	T	R	I	V	A	G	A	E	V	R	C	S	A	M	G	F
Z	O	V	M	O	U	O	S	Y	S	M	W	Y	J	C	C	T	R	H	N
U	C	O	H	B	B	P	C	I	P	K	E	K	A	C	B	P	I	A	U
B	P	B	P	I	S	M	U	K	I	W	H	K	U	O	Z	Z	G	A	S
R	M	T	D	C	R	Q	A	Z	W	C	P	G	W	V	U	B	N	V	C
J	L	B	Q	Z	A	T	F	M	M	J	Z	I	O	S	M	I	L	J	K
L	J	M	Y	C	A	Y	I	T	A	W	D	U	C	O	**B**	V	Q	C	T
H	C	U	G	I	P	V	U	L	S	W	J	W	B	**I**	A	A	U	S	A
E	V	S	M	G	H	D	L	G	X	I	R	I	**G**	N	H	B	L	E	V
P	L	E	D	K	O	C	H	U	G	S	W	**U**	A	K	T	O	M	P	A
P	R	H	I	V	W	L	G	F	O	I	**I**	T	S	N	W	A	N	A	L
B	C	C	E	D	R	A	S	D	F	**N**	G	Y	W	B	C	L	N	A	S
V	N	T	N	Y	V	M	A	A	**E**	H	P	U	N	N	N	O	L	G	E
W	C	T	F	L	U	B	R	D	J	J	P	O	E	G	J	Z	D	C	O
O	X	L	Z	Z	T	A	D	P	G	B	N	O	D	A	R	K	X	X	Q
V	G	C	L	D	X	D	A	C	C	G	P	L	V	H	V	P	B	K	R
T	X	P	X	P	G	A	N	E	R	A	C	A	M	Q	D	H	J	M	M
B	D	Z	B	F	F	P	E	Q	P	O	E	O	T	Z	T	K	H	N	N
U	Q	Z	I	T	Y	Z	M	A	D	E	X	W	Z	B	Y	B	V	I	J

Dîner

- *Soupe express de légumes**
- 2 rollmops, ½ bulbe de fenouil cru + citron + huile d'olive + persil
- *Compote d'abricots au thym**

C'est la Recette

SOUPE EXPRESS DE LÉGUMES

Égouttez 1 petite boîte de macédoine de légumes. Versez-la dans une casserole contenant 15 cl d'eau bouillante. Laissez reprendre l'ébullition. Ajoutez 2 c. à s. de crème liquide allégée, poivrez et mixez.

C'est la Recette

COMPOTE D'ABRICOTS AU THYM

Coupez 4 abricots dénoyautés en morceaux, placez-les dans une casserole avec un fond d'eau, ajoutez 2 c. à c de miel d'acacia, 1 branche de thym-citron et laissez mijoter une bonne demi-heure.

La minute zenaroma

Posez 1 goutte de petit grain bigarade sur la face interne des poignets. Respirez profondément en rapprochant vos mains de votre visage.

Coucher

Tisane Morphée (voir recette p. 126)

Dimanche

C'est le dernier jour de votre défi... mais le premier jour de votre vie zéro stress ! Vous avez désormais les outils pour le combattre, tout en vous faisant du bien et du bon. L'important ici est de faire face à l'ennemi pour ne pas le laisser s'installer. C'est bien connu, la meilleure défense, c'est l'attaque. Et vous avez prouvé que le stress ne passerait plus par vous ! Mais parlons récompenses et bonnets d'âne... Si vous avez fait un sans-faute en suivant pas à pas ce programme, vous méritez haut la main un diplôme de « coolitude ». Si, à l'inverse, vous avez picoré par-ci par-là dans nos conseils... vous le méritez aussi ! Pas de bonnet d'âne, donc, et surtout pas à tous ceux qui reconduiront le défi, en appliquant au quotidien nos conseils !

Bonjour !

- Buvez un grand verre d'eau riche en magnésium (voir p. 47)

La minute zen

Pause coup d'éclat. Frottez vos mains l'une contre l'autre énergiquement au-dessus de votre tête. Quand vos paumes sont chaudes, posez-les sur votre front. Une main après l'autre, lissez votre front vers l'extérieur durant une vingtaine de secondes. Du bout des doigts, massez les ailes de votre nez de haut en bas, puis tout le visage en remontant vers les tempes. Enfin, exercez une pression des deux mains sur le sommet du crâne.

Petit-déjeuner

Thé vert (sans sucre ni lait)

1 œuf coque + mouillettes pain aux céréales + beurre frais

1 yaourt nature

2 abricots

La minute zenrespir 

Pause Lol. On n'a pas tous les jours l'occasion de profiter des vertus déstressantes du rire. Forcez-vous ! Sur Internet, cherchez les blagues du jour, ou les vidéos sur des thèmes qui vous font rire. Amusez-vous franchement pendant 3 à 5 minutes. Pas plus, gare à l'addiction !

Collation

Green smoothie Pépin la bulle (voir recette p. 168)

Déjeuner

Assiette de bulots

*Duo de riz aux fruits de mer**

Mousse au chocolat noir

C'est la Recette

DUO DE RIZ AUX FRUITS DE MER

Chauffez ½ c. à c. d'huile d'olive dans une poêle et mettez ½ oignon pelé à blondir pendant 3 minutes. Ajoutez 100 g de mélange de fruits de mer surgelés et poivrez. Laissez cuire à feu doux jusqu'à évaporation du liquide en remuant souvent. Faites cuire 25 g de riz brun et 25 g de riz sauvage dans une casserole d'eau à peine salée pendant 15 minutes

→

puis rincez-les sous l'eau froide. Mélangez le riz et les fruits de mer, parsemez de persil ciselé. Préparez une vinaigrette avec ½ c. à s. d'huile et 1 c. à s. de vinaigre de cidre.

La minute zensport

Pause gigote. Allez nager, faire du vélo, marcher, monter et descendre des escaliers ou, pour les plus chanceux, occupez-vous de votre jardin... faites ce que vous voulez, mais bougez ! 30 minutes, pas une de moins !

Collation

- 1 petite poignée d'un mélange de noisettes et raisins secs
- 1 citronnade (voir recette p. 128)

La minute zenjeu

Méli-mélo de mots. 23 sports se cachent dans cette grille de lettres : saurez-vous les retrouver ? Les noms peuvent aussi apparaître de bas en haut... (Voir solution p. 177)

E	T	G	N	I	F	R	U	S	D	H	C	O
T	T	E	N	O	R	I	V	A	E	Y	E	D
A	H	A	N	D	B	A	L	L	C	B	U	U
R	N	E	M	N	I	K	S	L	A	G	Q	J
A	O	G	O	Y	I	S	I	A	T	U	I	E
K	I	A	L	E	E	S	I	B	H	R	T	M
T	T	N	A	M	M	K	L	T	L	E	S	S
E	A	I	L	E	E	A	C	O	O	X	A	I
T	T	T	S	F	L	O	G	O	N	O	N	P
T	A	A	H	C	T	A	C	F	H	B	M	P
U	N	P	N	O	L	H	T	A	I	B	Y	I
L	N	O	I	T	A	T	I	U	Q	E	G	H

Dîner

- Wok de légumes du soleil (tomate, aubergine, courgette, oignon, ail, huile d'olive, curcuma) + omelette)
- *Flan à la poire**

C'est la Recette

FLAN À LA POIRE

Dans une casserole, délayez 1 g d'agar-agar dans 25 cl de nectar de poire. Portez à ébullition puis laissez cuire à feu doux pendant 1 minute sans cesser de mélanger. Versez dans une coupe et placez 2 heures au réfrigérateur.

La minute zenréflexo

Détendez-vous, respirez profondément. Avec la pulpe du pouce, massez en douceur les zones réflexes Plexus solaire et Surrénales, sans déborder, pendant 2 minutes.

Coucher

- Tisane Morphée (voir recette p. 126)

SOLUTIONS DES JEUX

Sudoku.
Mardi, semaine 1 (p. 128)

9	4	6	7	5	2	3	1	8
8	3	1	6	9	4	5	2	7
7	2	5	1	3	8	6	9	4
1	5	9	3	6	7	8	4	2
4	7	8	2	1	5	9	6	3
2	6	3	8	4	9	7	5	1
5	9	7	4	2	3	1	8	6
6	8	2	9	7	1	4	3	5
3	1	4	5	8	6	2	7	9

Devinettes.
Jeudi, semaine 1 (p. 137)

- Tube de rouge : **Internationale.**
- Matière à réflexion : **Glace.**
- Devient inquiétante à partir de 39-40 : **Fièvre.**
- Pourri quand il est frais : **Été.**
- Plus important quand il est sans le sou : **Rire.**
- On le jette quand il est mauvais : **Sort.**
- Fait grossir : **Zoom.**

Filles perdues. *Mardi, semaine 2 (p. 156)*

Anne, Camille, Clara, Fanny, Fiona, Jade, Jeanne, Laura, Lola, Lolita, Louise, Margot, Marie, Nadine.

Mots enfouis. *Samedi, semaine 2 (p. 170)*

biguine, gigue, java, lambada, macarena, mambo, rock, samba, sardane, slow, tango, twist, valse, zouk, zumba

Méli-mélo de mots. *Dimanche, semaine 2 (p. 174)*

Aviron, biathlon, boxe, catch, cyclisme, decathlon, equitation, football, golf, gymnastique, handball, hippisme, hockey, judo, karate, lutte, natation, patinage, rugby, ski, slalom, surfing, tennis

INDEX DES RECETTES

TABLE DES MATIÈRES

RETROUVEZ ANNE DUFOUR

Sur son blog :

Biendansmacuisine.com

Sur sa page Facebook :

Bien dans ma cuisine by Anne Dufour

Sur sa chaîne Youtube :

En scannant ce code ou en tapant « Anne Dufour » sur Youtube.

Sur Instagram :

anne.dufour

EN SUPPLÉMENT

Téléchargez nos coloriages antistress

Rendez-vous vite sur la page :

http://quotidienmalin.com/ coloriages-antistress-malin

ou scannez ce code

Pour scanner le QR code avec votre téléphone ou votre tablette, téléchargez sur votre magasin d'applications mobiles (App Store, Android market, etc.) une application permettant de lire les QR codes. Lancez l'application et visez le QR code avec l'appareil photo de votre téléphone mobile. L'application reconnaît automatiquement le QR code et vous permet de voir son contenu sur votre écran.

Vous pouvez également accéder au contenu via le lien indiqué, il vous suffira pour cela de taper ce lien directement dans la barre de recherche de votre navigateur Internet.

Achevé d'imprimer par Novoprint en Espagne
Dépôt légal : septembre 2015